ro
ro
ro

FRAU STAUB

Jana Hensel, geboren 1976 in Leipzig, studierte in Leipzig, Marseille, Berlin und Paris. 1999 war sie Herausgeberin der Leipziger Literaturzeitschrift «Edit», 2000 (zusammen mit Thomas Hettche) der Internetanthologie «Null». Jana Hensel lebt in Berlin.

Weiterhin erschien: Tom Kraushaar (Hg.) «Die Zonenkinder und Wir. Die Geschichte eines Phänomens» (rororo 23672). Ein Überblick über die Diskussion um die «Zonenkinder».

Jana Hensel

# Zonenkinder

Rowohlt Taschenbuch Verlag

Veröffentlicht im Rowohlt Taschenbuch Verlag,
Reinbek bei Hamburg, Juni 2004
Copyright © 2002 by Rowohlt Verlag GmbH,
Reinbek bei Hamburg
Umschlaggestaltung any.way,
Barbara Hanke/Cordula Schmidt
Druck und Bindung Clausen & Bosse, Leck
Printed in Germany
ISBN 3 499 23532 3

meiner Mutter, meiner Schwester

Wir hatten Sex in den Trümmern und träumten.
Wir fanden uns ganz schön bedeutend.
*Die Sterne*

# Inhalt

## 1. Das schöne warme Wir-Gefühl
Über unsere Kindheit

Am letzten Tag meiner Kindheit, ich war dreizehn Jahre und drei Monate alt, verließ ich gemeinsam mit meiner Mutter am frühen Abend das Haus. Es war bereits dunkel, man sah den Atem vor dem Gesicht, Nieselregen fiel vom Himmel. Ich musste hohe Schuhe, Strumpfhosen und zwei Pullover unter meinen blauen Thermoanorak ziehen und niemand wollte mir so richtig sagen, wo es hingehen sollte. Auf dem Weg zur Straßenbahn, den wir immer liefen, um in die Leipziger Innenstadt zu kommen, mussten wir über ein Bahngelände, und ich weiß nicht mehr, ob ich es mir heute einbilde oder ob wir tatsächlich keinem Menschen begegnet sind und ob ich damals schon dachte, dass der Regen, den man nur im gelben Licht der Laternen erkennen konnte, sehr schön aussah, wie er da so ruhig und gleichmäßig vor sich hin fiel.

In der alten Straßenbahn, deren Türen man mit der Hand aufziehen musste und die sich nie richtig schließen ließen, sodass der Wind eiskalt hereinpfiff, während man sich auf den beheizten Ledersitzen den Hintern verbrannte, waren alle Leute so komisch dick angezogen, als gäbe es an diesem Abend ein Fußballspiel oder ein Feuerwerk. Ein paar Frauen hatten Ohrenschützer, die man seit kurzem auch in unseren Läden kaufen konnte, über den Kopf gezogen, andere selbst gestrickte Stulpen an den Füßen, und seltsamerweise hatte niemand eine Tasche bei sich. Als nach einigen Stationen der Fahrer die vorderste Tür des Wagens aufzog und rief, dass die Bahn jetzt hier halten und nicht mehr weiterfahren würde, stiegen alle aus und liefen, ohne dass jemand ein Wort gesagt hätte, weiter in die Innenstadt, so als hätten heute Abend alle dasselbe Ziel.

Später, am Ziel, das mir immer noch niemand wirklich nennen konnte, waren viele Leute dicht zusammengedrängt und strebten zur Nikolaikirche und vor die Oper, auf den Karl-Marx-Platz. Dass man hier vereinzelt Transparente und Plakate ausmachen konnte und dass sich alle, als gäbe es einen unsichtbaren Regisseur, zu einem Zug formierten und den Ring entlangzogen und dass das der Anfang vom Ende war, das kennt man aus dem Fernsehen. Ich weiß selbst auch nicht mehr genau, was ich mit eigenen Augen und was ich, an diesem Abend zum ersten und dann unzählige Male später, in den *Tagesthemen* sah. Fest eingeprägt allerdings habe ich mir – und das weiß ich vielleicht deshalb noch, weil ich es nie jemandem erzählt habe –, dass ich den Studenten, der ziemlich lange neben mir lief, gern an der Hand gefasst hätte und die Soldaten, die am Straßenrand auf uns aufpassen mussten, gern gefragt hätte, ob sie nicht mit zu uns rüberkommen wollten, wir seien doch viel mehr als sie.

Stattdessen lief ich brav zwischen dem Studenten und meiner Mutter den Ring entlang und dachte wahrscheinlich zum ersten Mal in meinem Leben, dass mit dem Land, das immer meine Heimat gewesen war, gerade etwas geschah, von dem ich gar nicht wusste, was es war, und dass gewiss kein Erwachsener mir erklären konnte, wohin es führen würde. Hätte der Student neben mir gesagt: Dies hier sei erst der Anfang, künftig würden von Montag zu Montag mehr Leute auf den Straßen zu finden sein, und all das würde dazu führen, dass die Mauer fallen und unser Land bald verschwinden und alles mitnehmen werde, sodass nichts mehr von ihm übrig bliebe, dann hätte ich ihn bestimmt verwundert angeschaut und im Stillen bei mir gedacht, unser Land könne das ruhig versuchen. Doch nie im Leben werde es das schaffen.


Heute sind diese letzten Tage unserer Kindheit, von denen ich damals natürlich noch nicht wusste, dass sie die letzten sein würden, für uns wie Türen in eine andere Zeit, die den Geruch eines Märchens hat und für die wir die richtigen Worte nicht mehr finden. Eine Zeit, die sehr lange vergangen scheint, in der die Uhren anders gingen, der Winter anders roch und die Schleifen im Haar anders gebunden wurden. Es fällt uns nicht leicht, uns an diese Märchenzeit zu erinnern, denn lange wollten wir sie vergessen, wünschten uns nichts sehnlicher, als dass sie so schnell wie möglich verschwinden würde. Es war, als durfte sie nie existiert haben und als schmerzte es nicht, sich von Vertrautem zu trennen. Eines Tages schlossen sich die Türen dann tatsächlich. Plötzlich war sie weg, die alte Zeit.

Heute, mehr als zehn Jahre später und nach unserem zweiten halben Leben, ist unser erstes lange her, und wir erinnern uns, selbst wenn wir uns anstrengen, nur noch an wenig. Ganz so, wie unser ganzes Land es sich gewünscht hatte, ist nichts übrig geblieben von unserer Kindheit, und auf einmal, wo wir erwachsen sind und es beinahe zu spät scheint, bemerke ich all die verlorenen Erinnerungen. Mich ängstigt, den Boden unter meinen Füßen nur wenig zu kennen, selten nach hinten und stets nur nach vorn geschaut zu haben. Ich möchte wieder wissen, wo wir herkommen, und so werde ich mich auf die Suche nach den verlorenen Erinnerungen und unerkannten Erfahrungen machen, auch wenn ich fürchte, den Weg zurück nicht mehr zu finden.


Als nach dem Mauerfall zuerst die Bilder von Erich Honecker und Wladimir Iljitsch Lenin aus den Klassenzimmern verschwanden, gab es lange kein anderes Gesprächsthema. Tagein, tagaus hatten wir die Männer angeguckt wie das Testbild im Fernsehen, doch erst als sie nicht mehr da waren, fielen sie uns plötzlich auf. Wann der Milchdienst ging, wann jeder seine Milchtüte allein beim Hausmeister kaufen und nicht wie früher den ganzen Monat im Voraus bezahlen musste, weil das marktwirtschaftlich betrachtet uns Neukunden eher hätte abschrecken können, habe ich dann schon gar nicht mehr bemerkt. Ich weiß noch, dass es ein Ritterschlag gewesen war, wenn man es zum ersten Mal hinbekommen hatte, so in der zweiten oder dritten Klasse, den glibberigen, immer leicht stinkenden Beutel hinter dem Rücken der Lehrer lässig mit zwei Zähnen aufzureißen und direkt aus der Öffnung zu trinken, während die anderen noch ihren Kindergartenstrohhalm benutzen mussten.

Ich erinnere mich nicht, wann es plötzlich keine Samstage mehr gab, an denen wir in die Schule gehen mussten. Nachdem die meisten Mitschüler es vorgezogen hatten, mit ihren Eltern in den Westen zu fahren, um das Begrüßungsgeld abzuholen, und bestenfalls noch die halbe Klasse in die Schule kam, hatten irgendwann auch die Lehrer die Nase voll und wollten endlich ihre 100 DM abholen. Da musste man die Samstage gar nicht erst abschaffen; sie verschwanden einfach, ohne ein Wort zu sagen. Die Dienstagnachmittage bald danach, denn ohne AG Popgymnastik, Junge Historiker, Schach oder Künstlerisches Gestalten waren sie sowieso ein bisschen funktionslos geworden. Mittwochs um 16 Uhr ging ich auch nicht mehr mit Halstuch und Käppi zum Pioniernachmittag, so wie die Großen nicht mehr zur FDJ-Versammlung gingen. Ich sah meine Patenbrigade nicht wieder, der Milchgeldkassierer war verschwunden, der Gruppenratsvorsitzende, sein Stellvertreter und die Pionierleiterin auch.

Über Nacht waren all unsere Termine verschwunden, obwohl doch unsere Kindheit fast nur aus Terminen bestanden hatte. Es passierte nicht mehr, dass wir morgens vor der ersten Stunde eine Exkursion, einen Feueralarm oder einen Fahnenappell auf dem Tagesplan vorfanden. Die Reihenuntersuchung hatte man abgeschafft, und *geschlossen im Klassenverband*, wie unsere Lehrer immer sagten, ging niemand mehr mit uns zum Zahnarzt in den Schulkeller. Er hatte seine Praxis mit den langen Turnbänken und den endlosen Kleiderhakenbrettern im Wartezimmer längst verlassen, und ich war ganz froh, dass ich nun die ständigen Bohrgeräusche nicht mehr hörte oder wegen der antiseptischen Gerüche mit zugehaltener Nase durch das Treppenhaus hetzen musste.

Die Bedeutung der Zipfel des Halstuchs habe ich vergessen. Die drei roten Streifen an ihrem Ärmel lassen jedenfalls auf eine sehr hohe Amtsträgerin schließen.

Niemand sagte uns, wohin man die schweren schwarzen Turnhallenboxen brachte, aus deren Lautsprechern frühmorgens olympische Hymnen verkündet hatten, dass der große Tag der Spartakiade gekommen war. Immer gegen sieben Uhr, die Sonne war noch gar nicht richtig aufgegangen und der Sportplatz ziemlich kalt, hatten wir in Reih und Glied gestanden und es kaum erwarten können, uns für die Stadtbezirksspartakiade im Schlagballweitwurf, im Dreisprung oder im 60-m-Lauf zu qualifizieren. Den Turnbeutel drückte ich da, wo die warme Teeflasche lag, ein bisschen fester gegen den Bauch, dachte an Heinz Florian Oertel, und die anderen schlugen ihre Hände kraftvoll gegen die Oberarme, so wie sie es bei den Friedensfahrern im Fernsehen gesehen hatten.

Nun war Leistungssport zum Schimpfwort geworden. Keiner von uns ging mehr nach der letzten Unterrichtsstunde zum Training. Das war gar nicht so schlecht, denn es hatte uns immer ein bisschen geärgert, dass das Training so früh begann und wir, nach der Schule gerade zu Hause angelangt, stets nur den ersten Teil von *Unsere kleine Farm* oder *Fury* gucken konnten, weil wir schon wieder losmussten. Ich kam auch nicht mehr abends nach sechs Uhr geschlaucht und fertig nach Hause, trank meine Flasche Milch nicht mehr im Stehen aus und erledigte nicht mehr allzu rasch meine Hausaufgaben. Das freute unsere Mütter, endlich hätten wir genug Zeit gehabt, *Medizin nach Noten, Jockey*

*Monika* oder *Das Krankenhaus am Rande der Stadt* bis zum Schluss zu gucken. Aber die gab es ja auch nicht mehr.

Nach und nach waren die ABC-Zeitungen der Kleinen von den Schulhöfen verschwunden und damit nicht nur Rolli, Flitzi und Schnapp, sondern auch Manne Murmelauge, unser Freund mit Halstuch und Käppi, der uns auf der dritten Seite immer Tipps gab, wie wir

*hier spricht Man*

den Timurtrupp besser organisierten, wie die Wandzeitung zur Woche der Waffenbrüderschaft noch besser würde und was die drei Zipfel des Halstuches zu bedeuten hatten. Er rief uns nicht mehr dazu auf, für den inhaftierten Nelson Mandela und die Sandinisten in Nikaragua Altpapier und leere Schnapsflaschen zu sammeln oder in der zweiten großen Pause einen Kuchenbasar im Eingangsbereich unserer Schule zu veranstalten. Am besten vor dem Zimmer des Direktors, an dem man vorbeimusste, wenn man auf den Hof wollte, und wo man die DDR-, die Pionier-, die FDJ- und die Fahne der Union der Sozialistischen Sowjetrepubliken gut sehen konnte. Falls wir den Schulausscheid gewinnen sollten, würden wir vor der ganzen Schule einen Wimpel überreicht bekommen, und der nett aussehende, schwarze alte Mann würde aus dem Gefängnis freigelassen.

18

Ein klarer Vorteil allerdings war, dass Manne Murmelauge mich mit seinen Aufgaben nun nicht mehr in brenzlige Situationen bringen konnte: Natürlich hatte ich so oft wie möglich Altstoffe gesammelt, schließlich war es eine der wenigen Möglichkeiten gewesen, durch den SERO-Altstoffhandel – pro Kilo zahlte der ein paar Pfennige – das Taschengeld aufzubessern. Wenn ich nun aber immer mehr Zeitungen in die Schule tragen sollte und dort kein Geld dafür bekam, musste ich es schaffen, die doppelte oder dreifache Menge zu organisieren, um trotz des höheren Solls noch immer ausreichend Sekundärrohstoffe an die Annahmestellen verklingeln zu können. Leider waren die Reviere abgesteckt, und es konnte böse enden, klingelte man mit den Worten: «Guten Tag, wir sind Junge Pioniere und sammeln Flaschen und Altpapier» an Türen in jenen Straßen, durch die die Jungs aus der Siebten immer zogen. Heute ahne ich, warum Ronnys Mutter bei solchen Gelegenheiten den blauen Rollfix nie gern herausgab; heute weiß ich, dass derjenige, der unten allein vor dem Haus saß und aufpasste, auf ganz schön verlorenem Posten war, wenn die Jungs aus der Siebten von unserem unerlaubten Vorstoß Wind bekommen hatten und ihr Revier verteidigen wollten.

Korbine Früchtchen aus der FRÖSI ging nicht mehr mit mir in den Wald, um zu erzählen, welche Beeren wir essen durften und welche nicht. Sie erklärte uns nicht mehr, warum es für die Forstwirtschaftsbetriebe wichtig war, dass wir Kastanien und Eicheln sammelten, Heilkräuter im Schulgarten anbauten und auf diese Weise halfen, die Erträge zu steigern. Statt Otto & Alwin-Bildchen sammelten wir Überraschungseier, statt Puffreis aßen wir Popkorn, die ‹Bravo› ersetzte die ‹Trommel›, und statt an verregneten Sonntagnachmittagen Kastanienmännchen zu basteln, Bierdeckel zwischen die Speichen unserer Fahrräder zu montieren oder Mau-Mau zu spielen, saßen wir nun vor Monopoly oder lasen Mickymaus.

Überhaupt waren sie auf einmal verschwunden, diese ganzen pädagogischen Berufsgruppenspiele, die aus uns eine sozialistische Persönlichkeit machen sollten und mit denen wir uns in unseren Kinderzimmern als Konstrukteure, Ingenieure, Kosmonauten, Lehrer oder Verkehrshelfer auf eine ziemlich klare Zukunft vorbereitet hatten.

Ich sehe mich noch auf alten Fotos: Die Sanitasche schräg über den Bauch gehängt, die weiße Haube mit dem roten Kreuz auf dem Kopf und die Hand auf den Lenker meines grünen Rollers gelegt, schaue ich in die Kamera und wirke ein bisschen wie von der Kindereinsatztruppe der Polizei. Aber das ist mehr als zehn Jahre her. In dieser Zeit ist aus unserer Kindheit ein Museum geworden, das keinen Namen und keine Adresse hat und das zu eröffnen kaum noch jemanden interessiert. Gehe ich manchmal, nicht oft, allein und wie im Traum in den verdunkelten Räumen umher, treffe ich viele alte Bekannte und freue mich, sie wieder zu sehen. Im selben Augenblick aber bemerke ich, wie übel sie es uns genommen haben, dass wir uns damals so plötzlich von ihnen abwandten, ohne uns zu verabschieden, und je näher ich mit meinem Gesicht an die Vitrinen herangehe, desto weiter weichen sie zurück. Ein bisschen sehen sie unter dem Glas wie Tote aus, und auf einmal bin ich nicht mehr ganz sicher, ob sie jemals unsere Freunde und wir mit ihnen am Leben gewesen sind.


Die Kaufhalle hieß jetzt Supermarkt, Jugendherbergen wurden zu Schullandheimen, Nickis zu T-Shirts und Lehrlinge Azubis. In der Straßenbahn musste man nicht mehr den Schnipsel entlochen, sondern den Fahrschein entwerten. Aus Pop-Gymnastik wurde Aerobic, und auf der frisch gestrichenen Poliklinik stand eines Morgens plötzlich «Ärztehaus». Die Speckitonne verschwand und wurde durch den grünen Punkt ersetzt. Mondos hießen jetzt Kondome, aber das ging uns noch nichts an.

Statt ins Pionierhaus ging ich jetzt ins Freizeitzentrum, unsere Pionierleiter waren unsere Vertrauenslehrer, und aus Arbeitsgemeinschaften wurden Interessengemeinschaften. In den Läden gab es alles aus der Reklame zu kaufen. Auf den Straßen saßen überall Hütchenspieler. Und Mitschüler, die vor der Wende in den

Westen gemacht hatten, wie das damals hieß, tauchten plötzlich auf dem Schulhof auf, als seien sie nie weg gewesen, redeten so komisch betont und sahen aus wie aus der Medi&Zini.

Zu den Fidschis durfte ich nicht länger Fidschis sagen, sondern musste sie Ausländer oder Asylbewerber nennen, was irgendwie sonderbar klang, waren sie doch immer da und zwischendurch nie weg gewesen. Für die Kubaner und die Mosambikaner hatte es kein Wort gegeben. Keins vorher und keins hinterher. Sie waren sowieso auf einmal alle verschwunden. Nicht anders als die Knastis, die die Flaschen und Gläser in den SERO-Annahmestellen entgegengenommen, nach Farbe und Größe sortiert und darauf aufgepasst hatten, dass wir abends nicht heimlich durch das Loch im Zaun in die großen Zeitschriftencontainer stiegen, um Westzeitschriften ihrer volkswirtschaftlich sinnvollen Zweitverwertung zu entreißen.

Die Dinge hießen einfach nicht mehr danach, was sie waren. Vielleicht waren sie auch nicht mehr dieselben. Schalter hießen Terminals, Verpflegungsbeutel wurden zu Lunchpaketen, Zweigstellen zu Filialen, der Polylux zum Overheadprojektor und der Türöffner in der Straßenbahn zum Fahrgastwunsch. Assis zu sagen habe ich mir schnell abgewöhnt, und Assikinder, mit denen wir in Lernpatenschaften Mathe und Rechtschreibung lernten und auf die wir ein Auge haben sollten, damit sie nicht geärgert wurden, und die wir besuchen gingen, wenn sie nicht zur Schule kamen, die gab es auch nicht mehr.

Die Olsenbande dagegen, über die wir uns an vielen Sonntagvormittagen in einer Art sozialistischer Kinderkinomatinée ohne Sekt für 35 Pfennig halb zu Tode gelacht hatten, die gab es noch; und genau das brachte mein Weltbild endgültig zum Einsturz: Generationen von Kindern hatten diesen leider ziemlich einfältigen Dänen bei ihren Taschenspielertricks zugesehen und geglaubt, die große Welt ließe sie, zumindest ein wenig, teilhaben und hätte sie nicht ganz vergessen. Als nach der Wende dann jedoch kein Mensch im Westen je von Egon, Benni und Kjeld gehört hatte, dafür aber jeder Karel Gott kannte, den Prager, von dem wir nun wirklich glaubten, er habe nur für uns Deutsch gelernt und gehöre uns, uns ganz allein, da verstand ich gar nichts mehr.

Wenn mir heute Freunde aus Heidelberg oder Krefeld sagen, sie hätten lange gebraucht, sich daran zu gewöhnen, dass Raider nicht mehr Raider, sondern irgendwann Twix hieß, und wie sehr sie es lieben, in den Ferien für ein paar Tage nach Hause zu fahren, weil man es da zwar nicht lange aushalte, aber alles noch so schön wie früher und an seinem Platz sei, dann beneide ich sie ein bisschen. Ich stelle mir in solchen Momenten heimlich vor, noch einmal durch die Straßen unserer Kindheit gehen zu können, die alten Schulwege entlangzulaufen, vergangene Bilder, Ladeninschriften und Gerüche wieder zu finden. In Gedanken lege ich mich still und von niemanden bemerkt, wie zwischen zwei Pausenklingeln, auf den verstaubten Matratzenberg in der hinteren Ecke der Turnhalle und halte meine Nase ganz dicht an die großen, schweren Medizinbälle. Ich sehe hinüber zu den langen Turnbänken aus Holz, streiche mit dem Handrücken darüber und erinnere mich an unsere Angst vor den Splittern, zogen wir auf dem Bauch liegend, mit weit ausholenden Armbewegungen über sie hinweg. Nur wenn die eigene Mannschaft am Rand stand und einen lautstark anfeuerte, verlor sich die Angst für Sekunden.

Lieber waren mir da die knöchelhohen Turnbänke beim Völkerball, wo sie als Spielfeldmarkierungen den Völkermann von der gegnerischen Mannschaft trennten. Seine große Stunde schlug, wenn alle Mitspieler ausgeschieden waren und die Ungelenken und Dicken oft längst in der Umkleidekabine warteten, gleichgültig, welche Gruppe den Sieg nach Hause tragen sollte. Leider sahen sie auf diese Weise nie, wie ein guter Völkermann eine längst verloren geglaubte Mannschaft wieder ins Spiel bringen konnte und wie wir anderen, vor Aufregung glühend, unseren Völkermann dafür liebten. In den darauf folgenden Unterrichtsstunden habe ich mich heimlich zu meinem Völkermann umgedreht und ihn betrachtet, zufrieden und ohne Neid. Doch unsere

Helden von damals leben schon lange nicht mehr, und weil unsere Kindheit ein Museum ohne Namen ist, fehlen mir die Worte dafür; weil das Haus keine Adresse hat, weiß ich nicht, welchen Weg ich einschlagen soll, und komme in keiner Kindheit mehr an.

Wir werden es nie schaffen, Teil einer Jugendbewegung zu sein, dachte ich einige Jahre später, als ich mit italienischen, spanischen, französischen, deutschen und österreichischen Freunden eng zusammengequetscht in einem Marseiller Wohnheimzimmer saß. Die Wende war bereits mehr als sechs Jahre her. Die Italiener hatten für alle gekocht, Stühle gab es nicht, man aß auf den Knien und saß auf dem Bett, dem Fußboden, in der Schranktür oder stand, nur den Kopf ins Zimmer gestreckt, an der offenen Tür. Als einige Flaschen Wein geleert waren und die Aschenbecher langsam überquollen, begannen alle laut, euphorisiert und wild durcheinander zu reden. Alte Namen und Kindheitshelden flogen wie Bälle durch den Raum: welche Schlümpfe man am liebsten hatte, welches Schlumpfkind mit wem verwandt war und wie sie auf Italienisch, Deutsch oder Spanisch hießen. Lieblingsfilme wurden ausgetauscht; Lieblingsbücher beschworen und erhitzt die Frage debattiert, ob man den Herrn der Ringe, Pippi Langstrumpf, Donald Duck oder Dagobert lieber mochte, Lucky Luke oder Asterix und Obelix verschlungen hatte.

Ich musste an Alfons Zitterbacke denken, erinnerte mich an den braven Schüler Ottokar und hätte gern den anderen vom Zauberer der Smaragdenstadt erzählt. Ich sah Timur und seinen Trupp, Ede und Unku, den Antennenaugust und Frank und Irene vor mir, mir fielen Lütt Matten und die weiße Muschel, der kleine Trompeter und der Bootsmann auf der Scholle wieder ein. Einmal versuchte ich es, hob kurz an, um von meinen unbekannten Helden zu berichten, und schaute in interessierte Gesichter ohne Euphorie. Mit einem Schlag hatte ich es satt, anders zu sein als all die anderen. Ich wollte meine Geschichten genauso einfach erzählen wie die Italiener, Franzosen oder Österreicher, ohne Erklärungen zu suchen und meine Erinnerungen in Worte übersetzen zu müssen, in denen ich sie nicht erlebt hatte und die sie mit jedem Versuch ein Stück mehr zerschlugen. Ich verstummte, und um ihre Party und ihr schönes warmes Wir-Gefühl nicht länger zu stören, hielt ich den Mund. Ich überlegte, was ich stattdessen mit meiner Kindheit anfangen könnte, in welches Regal ich sie stellen oder in welchen Ordner ich sie heften könnte. Wie ein Sommerkleid war sie anscheinend aus der Mode geraten und taugte nicht einmal mehr für ein Partygespräch. Ich nahm noch einen Schluck aus dem Weinglas und beschloss, mich langsam auf den Weg zu machen.

## 2. Sonnenuntergang im Mauerpark

Über die Heimat, die schöne

«Sehr geehrte Fahrgäste, in wenigen Minuten erreichen wir Leipzig Hauptbahnhof. Sie haben dort Anschluss...», schallte es durch den Zug, und wenn es dem Chef des ICE-Teams aus Hamburg oder München auch nie gelang, die Namen der Orte, in die man mit den Regionalbahnen fahren konnte, richtig auszusprechen, so machte sich in mir doch ein wohliges Gefühl breit, das man als Heimatgefühl bezeichnen könnte. Es war ja auch nicht so leicht, sich als Fremder unter all diesen Eutritzsch', Delitzsch', Meuselwitz' oder Schkeuditz' zurechtzufinden.

Wie einige andere stand ich auf und stellte mich mit meinem Gepäck brav an der Tür an. Vielleicht bildete ich es mir nur ein, aber ich hatte immer das Gefühl, die anderen Fahrgäste, die weiter nach Nürnberg oder München fuhren, beobachteten die Menschen in der Schlange ein bisschen genauer als bei jedem anderen planmäßigen Halt. Als wollten sie sich einprägen, wer gerade hier ausstieg.

Noch bis zum Ende der Neunziger waren die ICEs aus der Hauptstadt nach Sachsen sehr leer. Nie war es nötig, sich vorher eine Sitzplatzreservierung zu besorgen. Seit aber die Deutsche Bahn den Zug von Hamburg nach München über ostdeutsches Terrain schickte, waren die Wagen regelmäßig bis auf den letzten Platz besetzt. Ich empfand es als eine gewisse Genugtuung, dass diese ganzen Menschen – Oktoberfestliebhaber, Strandurlauber, Skifahrer und Wattwanderer – nun durch unser Land kutschiert wurden. Hinter Jena, wenn es durch das Saaletal vorbei an den Dornburger Schlössern ging, war es sogar richtig nett anzusehen. Die Toskana des Ostens, wie ein bayerischer Unternehmer den Landstrich einmal bezeichnet hatte, gefiel denen doch bestimmt.

Nur leider musste ich jetzt ab und zu den Gesprächen süddeutscher Rentnerpärchen lauschen, die es bei der Durchquerung ostdeutscher Vorstädte oder der stillgelegten Fabrikanlagen von Wolfen oder Bitterfeld vor Entsetzen regelrecht schüttelte, sodass ich schon meinte, aufstehen und die beiden beruhigen zu müssen. Es fiel ihnen nicht leicht, ihre Abscheu und ihren Hass auf den menschenunwürdigen Kommunismus zu zügeln; unvorstellbar, wie man unter solchen Verhältnissen hatte überleben können. Man konnte wirklich von Glück sagen, dass das alles nun vorbei war.

Der Leipziger Hauptbahnhof hätte den alten Leuten, wären sie hier ausgestiegen, bestimmt gefallen. Er bot ein schönes und beruhigendes Bild des ostdeutschen Aufschwungs und war nicht nur zum beliebtesten Einkaufstempel der Messestadt, wie sie sich ja nannte, sondern auch zum Lieblingskind der Deutschen Bahn geworden. Zündete man sich am Bahnsteig eine Zigarette an, sprangen sofort drei Typen von einer Sicherheitsfirma auf einen zu, in der DB-Lounge lief *Jenseits von Eden,* und alle Läden hatten bis 22 Uhr geöffnet. Sieben Tage die Woche. Hier war alles, wie man es haben wollte, und weil man die Bahnhofsmission der nervenden Penner wegen geschlossen hatte, störten auch die den Anblick des Hochglanzostens inzwischen nicht mehr.

Die Liebe der Sachsen zu ihrem Hauptbahnhof schien tatsächlich grenzenlos. Aus allen Ecken des Freistaates strömten sie herbei. Als man nach der Wiedereröffnung in der riesigen Empfangshalle noch schnell Plakate mit Ansichten anderer wichtiger europäischer Verkehrsknotenpunkte wie Mailand oder Amsterdam aufhängte, glaubten wirklich alle, von hier aus reise man jetzt wieder in die Welt. Ich fand es ein bisschen traurig für uns Leipziger, dass der Bundeskanzler zur feierlichen Eröffnung – für die man Tag und Nacht gearbeitet und bei der drei Arbeiter ihr Leben verloren hatten – am Ende doch nicht gekommen war. An jenem Tag war Nebel, sein Hubschrauber konnte nicht landen, und so verschwand er unverrichteter Dinge wieder in den Wolken.

Ein westdeutscher Journalist spielt einen westdeutschen Journalisten für eine westdeutsche Illustrierte: Überall lauern authentische Geschichten, sie wollen nur gefunden werden.

Unser Bahnhof aber war dieser Hauptbahnhof nicht mehr. Von ihm oder den anderen hochglänzenden Servicetempeln in Dresden oder Ostberlin, wo sich Arbeitslose, denen man anmerkte, wie schwer das fiel, als Gepäckträger verdingten und Bahnbedienstete sich um servile Untertänigkeit bemühten, sind wir nicht in die Fremde aufgebrochen. Diese übermalten Orte kennen wir nicht, sie sind uns nicht vertraut, und als Tor zur Ferne und Schlüssel zur Heimat taugen sie, anders als ihre Vorgänger, nicht mehr.

30

Mein Leipzig allerdings war das auch nicht mehr. Schon auf den ersten Ausflügen mit Gästen aus dem Westen, die die berühmte Mädler-Passage sehen wollten, noch einmal die Pleitestory des Baulöwen Schneider zu hören verlangten und sich vorstellten, in der *vitalsten* Kneipenszene des Ostens wilde Nächte zu erleben, verabschiedete sich die Stadt meiner Kindheit von mir. Auch wenn ich auf die sanierten Häuser stolz war, auf die neuen Ladenpassagen, die Geschäfte und Fahrradwege, wurde ich das Gefühl nicht los, die Gäste suchten hier doch nur dieselben *authentischen* Geschichten, die sie schon aus dem SPIEGEL oder dem FOCUS kannten. Sie waren zufrieden, ging man mit ihnen ins Stasimuseum, zur Nikolaikirche und beschrieb man genau, wo die Überwachungskameras während der Montagsdemonstrationen gestanden hatten. Dazu lieferte man ein paar O-Töne, am besten in leichtem Dialekt, dann hatten sie gefunden, was sie suchten, und mussten ihr Abonnement nach der Reise nicht kündigen. Leider bemerkten weder wir noch sie, dass hinter solchen *authentischen* Geschichten ein ganzes Land verschwand, sich erst wie hinter einer Maske versteckte und dann ganz langsam auflöste. Weil wir aber glauben wollten, aus diesen Anekdoten setze sich unser neues Leben zusammen, haben wir sie gern erzählt und später sogar angefangen, sie untereinander auszutauschen; eine Erinnerung nach der anderen, ein Ort nach dem anderen ging so verloren.

Meine Gäste liebten es, im Tagebau, dessen Halden die Stadt im Süden nahezu vollständig umschlossen, umherzuspazieren und diesen ungeheuren Raubbau, wie sie es nannten, einmal mit eigenen Augen anzusehen. Die Kräne und Förderbänder, die teilweise verrostet und untätig, als seien sie vergessen worden, herumstanden, riefen sie beglückt zu stählernen Monumenten des Industriezeitalters aus, während in einiger Entfernung noch immer die letzten Arbeiter geschäftig nach Braunkohle baggerten. Ich hielt mich in diesen heroischen Augenblicken ein wenig abseits. Ich war hier geboren. Ich kannte den Anblick und obendrein viele Leute, die jeden Morgen auf der einzigen Straße, die am Rand der Abraumtäler entlang ins Chemiewerk geführt hatte, zur Arbeit gefahren waren.

Auf der anderen Seite der Grube lag mein Gymnasium. Es war erstaunlich, dass sie es überhaupt stehen gelassen hatten. Gleich hinter der Sporthalle begann der Tagebau, und wenn wir an windigen Tagen zu lange mit zugekniffenen Augen auf dem Schulhof herumstanden, knirschte der Sand zwischen den Zähnen und bestäubte die Rahmen unserer Fahrräder mit einer feinen Schicht, und die Jungs fluchten wegen ihrer Gangschaltungen, und die Internatsschüler, deren Fenster auf den Tagebau zeigten, träumten nachts manchmal von dem blauen Licht der Förderbänder, das man weithin sehen konnte.

Ich hasste es, mich dort nun wie ein Tourist im eigenen Leben zu bewegen, die Maschinen zu bestaunen und dabei meine Biografie auf jene Hand voll Anekdoten zu reduzieren, die meine westlichen Besucher hören wollten. Oder von denen ich dachte, sie wollten sie hören. Unsere Kindheit hatte weder in einer Boomtown noch in einer Mondlandschaft stattgefunden, sie kannte weder einen Raubbau noch eine verantwortungslose Wohnungsbaupolitik. Wir waren auf Wäscheplätzen, in Hinterhöfen, unter Kastanienbäumen und Pergolas oder auf Rollschuhbahnen zu Hause gewesen, und zwischen den weiß, gelb oder rosa sanierten Wohnhäusern, den gläsernen Bürokomplexen, den stählernen Monumenten des Industriezeitalters und den eintönigen Ladenstraßen der neunziger Jahre hatten wir nichts erlebt. Hier hatte nichts stattgefunden.

Doch es gelang mir nicht, mich damit abzufinden. Ich hörte nicht auf, nach den Leinwandbildern unserer Kindheit zu suchen, die so plötzlich verschwunden waren. Ich wollte wissen, was wir damals mit eigenen Augen gesehen hatten. Oft legte ich, war ich in Ostdeutschland unterwegs, Daumen und Zeigefinger vor dem Gesicht zu einem Kameraausschnitt zusammen und suchte die Straßen und Häuserzeilen nach einem Bild ab, das DDR sein konnte. Eine Weile betrachtete ich mein Fundstück, versuchte, an damals zu denken, und musste mir bald eingestehen, dass es nicht funktionierte. Kein Kindergefühl stellte sich ein. Im Gegenteil: Nahm ich die Hände weg, befand ich mich wie in einer

Zeitkapsel. Überall neunziger Jahre. Ein anderes Jahrzehnt schien es auf dem Boden der DDR nie gegeben zu haben. Die sechziger, siebziger und achtziger Jahre hatte man vor unseren Augen in Windeseile wegsaniert, und plötzlich waren es Postämter in Wiesbaden, Brauhäuser in Köln, Schuhläden in Erlangen und Haltestellen in Frankfurt am Main, die uns bewiesen, dass es diese Zeit überhaupt gegeben hatte und wie sie ausgesehen haben mochte. Der Osten dagegen war geschichtslos geworden.

Doch erst einmal brachte mich die Straßenbahn vom Bahnhof zu meinen Eltern, die am Stadtrand wohnten. «Nächste Haltestelle: Augustusplatz. Zentraler Umsteigepunkt. Zugang zur Innenstadt», teilte mir eine blecherne Computerstimme in unsympathischer Lautstärke mit. Außer mir, ein paar Rentnern und lärmenden Schulkindern war niemand im Wagen, der auf die Innenstadt zugehen wollte. Da boten auch die drei Bildschirme unter der Decke der Straßenbahn ein lächerliches Bild, die verkündeten, der *Sachsenexport* steige von Tag zu Tag. Dass so die offizielle Version für die ständig abnehmenden Einwohnerzahlen lautete, war mir zwar neu, doch ich wusste ja vom Hauptbahnhof, wie sehr der Ostdeutsche diese kleinen Hightech-Inseln brauchte. Sie bewiesen ihm, dass auch er mal die Nase vorn haben durfte.

34

Die Straßenbahn hielt, und so konnte ich den Augustusplatz, der früher Karl-Marx-Platz hieß, genauer betrachten. Damals war hier der Sitz der Leipziger Universität, und das hochgeschossige Verwaltungsgebäude galt als Erkennungsmerkmal der Stadt, zumindest verschickte man vor der Wende Postkarten mit dem Uniriesen drauf. In den unzähligen Geschichten, die man dann in den neunziger Jahren über die Boomtown lesen konnte, kolportierte sich hartnäckig das Gerücht, der Einheimische würde zu dem Hochhaus, das einem aufgeschlagenen Buch nachempfunden war, verschmitzt «Weisheitszahn» sagen. Mich hat das immer gewundert; mir gegenüber hatte nie jemand diesen behäbigen, nun wirklich nicht sonderlich komischen Kosenamen benutzt. Heute, nach der Sanierung, gehört der Riese einer Bank, und ganz oben prangt in schwarz-rot-goldenen Farben das fette Logo des MDR. Es sieht aus wie eine DDR-Fahne ohne Emblem, dachte ich noch, aber da hatte die Straßenbahn ihre Türen schon geschlossen.

Vorbei an dem Studentenklub Moritzbastei und der Stadtbibliothek verließ ich die Innenstadt Richtung Süden und glaubte plötzlich, in Ostberlin, Chemnitz und Gera gleichzeitig zu sein. Wie sich doch die ostdeutschen Vorstädte glichen: Da gab es Connys Container und Rudis Resterampe, Sonderpostenmärkte und Discounts ohne Namen und ohne Ende und jede Menge Schlecker und Drospa, sodass man denken musste, der

Ostdeutsche lebe ausschließlich in Küche oder Bad oder halte sich nur zum Putzen in seiner Wohnung auf.

Die leeren Schaufenster dazwischen waren mit bereits verblichenen Werbezetteln beklebt, die wie Grabsteine an die vielen vergeblich geträumten Kleinunternehmerträume gemahnten. Warum ist eigentlich noch niemand auf die Idee gekommen, diese Zettel zu sammeln und als Bilderchronik des ersten gesamtdeutschen Jahrzehnts herauszugeben? Denn was ist wohl aus all diesen Maiks, Silvias, Ronnys und Susis geworden, die einmal glaubten, mit einer CD-Brennerei, einer Schreibstube, einem Tattoostudio oder einer Snackeria reich zu werden? In stillem Gedenken an ihre namenlosen Schicksale war ich fast bei meinen Eltern angelangt, da teilte mir die Computerstimme mit: «Moritzhof. Endhaltestelle. Bitte alle aussteigen. Wir danken Ihnen, dass Sie sich für die LVB entschieden haben.» Mein ganzes Leben hatte meine Heimathaltestelle auf den schlichten, doch schönen Namen Watestraße gehört, den ich als Kind sehr mochte, weil ich mir nicht erklären konnte, was er bedeutete. Nun hatte man sie nach dem Moritzhof, einer dieser neu erbauten Einkaufspassagen, benannt. Man lernt die Dinge eben erst dann zu schätzen, wenn sie verschwunden sind.

Der Moritzhof ist heute das neue wirtschaftliche, soziale und geistige Zentrum des Neubaugebietes. Ich mied diesen Ort: eine ehemalige Klassenkameradin saß an der Kasse des Supermarktes, frühere Lehrerinnen konnten unbemerkt in der Schlange beim Fleischer auftauchen, und der Mann, der in meiner Kindheit in der Schülergaststätte die Kübel überwachte, in die wir die Essensreste kippten und den die Jungs aus den großen Klassen immer ärgerten, streunte hier ziellos umher. Ich wollte diesen Menschen nicht begegnen, sie sollten auf der Seite meines Fotoalbums verbleiben, auf der ich sie vor vielen Jahren eingeklebt hatte. Vor dem Moritzhof lag die breite Johannes-R.-Becher-Straße. Sie war früher, wenn auch nicht besonders schön, die Hauptader des Viertels gewesen. An ihrem einen Ende, direkt neben einem Neubaublock, stand das Haus meiner Eltern, und an ihrem anderen war die Schule. Schon von weitem konnte man den Bau erkennen, der aus Platten und ebenfalls nach Johannes R. Becher benannt war. Wenn ich mir überlegte, dass ich acht Jahre in diese Polytechnische Oberschule gegangen war, dass ein Jahr 365 Tage hatte und noch immer hat, dass ich in den ersten vier Jahren auch noch an den Ferienspielen teilnahm, dass ich diesen Weg täglich hin- und zurücklief, an Pioniernachmittagen sogar zweimal, dann bedeutete das, dass ich diese Johannes-R.-Becher-Straße über 5000 Mal in meinem Leben durchschritten hatte. War man vorbei an der Stadtbezirksbibliothek und einem Getränkestützpunkt, hieß es an jeder Straßenecke einen Klassenkameraden morgens zu begrüßen oder nachmittags zu verabschieden. Alle Steinplatten kannte ich, und über die Risse dazwischen waren wir auf dem Nachhauseweg entweder gesprungen oder mit Absicht darauf getreten. Aber die Straße gab es nicht mehr, sie war komplett stillgelegt worden, und da, wo ich früher entlangging, standen heute Sitzgruppen, lagen riesige Betonkugeln als Kunst am Bau herum, durfte man Streetball spielen. So waren in kürzester Zeit alle Orte unserer Kindheit verschwunden oder hatten ein neues Gesicht erhalten. Die Schülerspeisegaststätte, die riesig war und die wir immer nur Fresswürfel nannten, hatte einem Parkplatz weichen müssen. Der Ascheberg hinter dem Neubaugebiet, an dessen Rändern wir mit unseren Klappfahrrädern BMX-Bande spielten oder Buden bauten, war zu einem Naherholungszentrum geworden. Heimat, das war ein Ort, an dem wir nur kurz sein durften.

In der Fremde treibt es einen zu Gleichgesinnten, und so verstand ich mich in meinem Marseiller Studienjahr mit Österreichern am besten. Sie kannten das Gefühl, aus einem kleinen Land zu kommen und überall für Deutsche gehalten zu werden, und nahmen es mit Humor. Ich brauchte lange, bis ich für eine Deutsche gehalten werden wollte, und nahm es nicht kommentarlos hin. Tatsächlich wurde ich aber erst sieben Jahre nach der Wende das erste Mal gefragt, wo ich eigentlich herkäme. Noch nie hatte ich eine solche Situation erlebt, und mir wurde klar, dass man uns vor der Wende, wenn wir in Polen, Ungarn oder Bulgarien Urlaub machten, wie alle anderen sofort enttarnt haben musste. Die Polen, immer zu fünft in einen Polski Fiat eingezwängt, erkannte man an ihren selbst genähten Gürteltaschen mit den kopierten Logos von adidas, Aufbüglern von Sandra oder der Rose von Depeche Mode. Die Sowjetmädels hatten große rosa Schleifen im Haar, trugen braune Schuluniformen und hatten oft Jungs mit kantigen, slawischen Gesichtern und platt gedrückten Nasen neben sich. Die Tschechen liebten Stoffturnschuhe mit roten und blauen Streifen, aßen immerzu Oblaten und fuhren nichts anderes als Skoda. Der Ungar war elegant, sah gut aus und interessierte sich nicht für den Ostblock. Der Glanz der alten Monarchie ließ ihn sich noch immer für etwas Besseres halten. Bulgaren und Rumänen traf man außerhalb ihrer Länder nicht an, und war man drin, war sowieso alles klar. Ob es Albaner und Jugoslawen tatsächlich gab, so wie man uns in der Schule wiederholt beteuert hatte, konnten wir als Kinder nicht so genau sagen. Die bekamen wir nämlich nie zu Gesicht, und das fanden wir, schließlich waren sie doch unsere Brüder, ein bisschen seltsam. Wie aber hatte man uns Ostdeutsche enttarnt, die wir uns doch stets für die Westeuropäer des Ostblocks gehalten hatten? Waren es am Ende doch nur unsere Trabbis, Wartburgs und Jesuslatschen, die uns auf den ersten Blick verrieten? Ich wusste keine Antwort und hatte mir diese Frage, das muss ich zugeben, auch nie gestellt. Ich hatte, wie alle, einfach gehofft, man würde mich für eine aus dem Westen halten.

Nach der Wende aber kam mir *Ich bin Deutsche* nie so richtig über die Lippen, und aus dem Westen wollte ich gleich gar nicht mehr sein. Stets und ständig setzte ich an, Erklärungen über meine Herkunft anzufügen, und meine Zuhörer nahmen die Information, ich sei zwar Deutsche, aber aus Leipzig, aus Ostdeutschland und also aus der ehemaligen DDR, mit jener freundlichen Nachsicht auf, die man für Desinteresse halten konnte. Warum sollte meine algerische Zimmernachbarin im Marseiller Studentenwohnheim, die zurzeit der täglichen Massaker in algerischen Dörfern jeden Abend mit ihrer Familie zu Hause telefonierte, um zu erfahren, ob alle noch am Leben waren, warum sollte sie sich für die Unterschiede zwischen Ost und West interessieren? Deutschland war ein reiches Land. Dass ein Großteil meiner Landsleute sich als Menschen zweiter Klasse fühlte und unter Arbeitslosigkeit litt, verstand sie wohl. Aber sie hatte Schlimmeres gesehen.

So zog ich es vor, den Österreichern die Unterschiede zwischen Ost und West zu erklären. Der Osten, dozierte ich, sei bunter. Im Kopf, meinte ich. Die Menschen, die sich an das neue System erst gewöhnen mussten, gingen kritischer damit um, machten sich Gedanken, suchten Alternativen. Viele Westdeutsche, die ihrer alten Heimat überdrüssig seien, kämen nun nach Leipzig, Dresden und Ostberlin, um nochmal etwas anderes anzufangen, und würden die komplette Umschichtung einer ganzen Gesellschaft genießen. Die Kunstszene, die sich gerade aus der Grauzone des Untergrundes befreie, sich aber an die Restriktionen des alten Systems noch allzu gut erinnern könne, blühe auf und zehre dabei von einer Selbstauffassung, die Gut und Böse nicht nur abstrakt, sondern am eigenen Leib erfahren habe. Meine Zuhörer staunten. Sie wollten mich unbedingt besuchen kommen, um sich das alles selbst anzusehen.

Zurück in Leipzig, schmiedete ich jeden Tag neue Pläne, was ich meinen ausländischen Gästen in meiner Heimatstadt nun alles zeigen würde. Doch von dieser Stadt, die im Unterschied zu Südfrankreich sehr grau wirkte, konnte ich mich nicht erinnern, gesprochen zu haben. Dachten wir uns den Osten vielleicht nur aus? Wollten wir diesen ganzen miefigen Nachwendealltag nur für uns erträglicher gestalten und machten uns etwas vor?

Tatsächlich begannen viele von uns in den letzten drei oder vier Jahren der neunziger Jahre, den Osten aufzugeben. Er bot einfach keine Chancen. Hier passierte nichts mehr. Es sei denn, man wollte in Banken, Regionalzeitungen, Versicherungen oder den Stadtwerken sein Geld verdienen. Weil wir uns aber noch nicht ganz von der alten Heimat lösen konnten, gingen wir nach Berlin, wobei es für mich keine Frage war, im Ostteil der Stadt zu wohnen. Auch wenn Kreuzberg mich irgendwie anzog und der Savignyplatz, schick und edel, lockte, wäre ich da nie hingezogen. Keiner meiner ostdeutschen Freunde lebte dort. Das war ungeschriebenes Gesetz, für dessen Überschreitung ich mich wie für die Wahl einer falschen Zigarettenmarke hätte rechtfertigen müssen.

Als ich Ende der neunziger Jahre meinen Kommilitonen Jan auf der Kreuzberger Spreeseite, gleich hinter dem ehemaligen Grenzübergang Oberbaumbrücke, besuchte – ich musste nur die Warschauer Straße bis an ihr Ende fahren, dann war ich schon drüben –, erzählte ich ihm aufgeregt, ich sei sehr erleichtert, denn man habe mich trotz der Dunkelheit und des Nebels tatsächlich auf die andere Spreeseite rübergelassen. Das müsse man sich mal vorstellen: Obwohl meine Vorderlampe nicht ging und ich nur ein kleines Licht an der Hosentasche trug, habe mich niemand angehalten und nach dem Inhalt meines Rucksackes gefragt. Ich könne es noch gar nicht richtig glauben, das also sei mein erster Grenzübertritt mit dem Fahrrad gewesen. Jan sah mich genervt an. Sein Gesicht verriet, dass er wirklich keine Lust hatte, auf meine blödsinnigen Geschichten einzusteigen. Witzig fand er das auch nicht.

Ein paar Wochen später, Jan und ich saßen im Olympiastadion und warteten auf den Anpfiff, gestand er mir, dass ihm der ganze Ostscheiß, wie er sagte, ziemlich auf die Nerven gehe. Schon damals, in der Nacht des Mauerfalls, hatte er sich nur mit Mühe vom Fernseher lösen können, um zum nächstliegenden Grenzübergang zu laufen. Jan hatte mich überredet, mit ihm das Spiel des 1. FC Köln gegen Hertha anzuschauen, und da der Klub aus dem Rheinland sein Heimatverein war, hatte ich nichts dagegen, dass wir uns in den kleinen, nur für die angereisten Kölner Fans reservierten Fanblock einsperren ließen. Viele Neuberliner aus Bonn waren auch gekommen, und so waren die Plätze in der rheinischen Enklave gut gefüllt.

Sei er zu Anfang der neunziger Jahre, vor allem, als die Herthaner in die 1. Bundesliga aufgestiegen waren, noch voller Sympathie für den Berliner Verein gewesen und fast jedes Wochenende ins Stadion gegangen, so registriere er heute die schleichende Ossifizierung vor allem der Fans, gestand Jan mir offenherzig und hoffte, ich würde sein Leiden verstehen. Wie zur Demonstration seiner Ausführungen hob er die linke Hand und zeigte zu der Kurve, wo die brutaler aussehenden Fans gerade dabei waren, ihre Vereinsfahnen mit den Totenköpfen an den Absperrungsgittern anzubringen. Jan hatte Recht. Die Transparente bewiesen ihm, dass diese Fans zum großen Teil aus den östlichen Berliner Randbezirken kamen. Warum er aber, nachdem er nun schon mehr als zehn Jahre an der Spree wohnte, noch immer an seinem Kölner Heimatverein hing, brauchte ich nicht zu fragen; das verstand ich auch so.

In Berlin kommen wir jetzt, im zweiten Jahrzehnt nach der Wende, langsam an. Schon ist zu spüren, dass die nächsten zehn Jahre ruhiger werden, dass das Gröbste hinter uns liegt. Wir lieben die Frankfurter Allee, das Bahngelände an der Warschauer Straße, das Planetarium im Prenzlauer Berg, den Görlitzer Park in Kreuzberg und die Sophienstraße in Mitte. Wir freuen uns, dass man seit kurzem auf dem Helmholtzplatz Tischtennis spielen kann, sitzen nachts gern im Biergarten am Prater und schauen im Mauerpark dem Sonnenuntergang zu. Auf den Stufen von Schloss Sanssouci reden wir über Liebe, an der Volksbühne stellen wir uns nach Karten an, wir verehren Frank Castorf und Jürgen Kuttner, im Rheingold fühlen wir uns fremd, und der Flohmarkt am Arkonaplatz ist uns ein bisschen zu versnobt. An schönen Sonntagnachmittagen machen wir Ausflüge nach Schöneberg, Friedenau und an den Nikolassee, stellen uns vor, dass man hier bestimmt sehr schön wohnen kann, und fahren mit der S-Bahn wieder nach Hause.

Meine heimliche Stadtgrenze aber verläuft hinter der Humboldt-Universität. Dussmanns Kulturkaufhaus, die Galerie Lafayette und das Borchardts gehören nicht mehr auf meinen Lageplan, auch wenn ich in der Staatsbank bis in die Morgenstunden getanzt habe. Freunde, die am Savignyplatz wohnen, gestehen uns manchmal, sie wüssten gar nicht, wo Friedrichshain liege, was man ja eigentlich niemandem sagen dürfe, und dass sie jetzt unbedingt mal hinfahren müssten, um sich alles selbst anzusehen. Mich stört das, ehrlich gesagt, wenig. Die sollten ruhig dableiben; falls wir Lust haben sollten, sie zu sehen, kommen wir eben rüber. Zur neuen Heimat jedoch ist Berlin nicht geworden, und wenn mir Ostberliner Freunde, die hier geboren sind, erzählen, das hier sei nicht mehr ihre Stadt und sie sehnen sich nach vertrauten Hinterhöfen, alten Bäckereien und unsanierten Häusern, hassen die Auguststraße, weil sie hier früher spielten, und verabscheuen den Hackeschen Markt, dann denke ich an Leipzig und weiß, wovon sie sprechen. Wie ich waren auch sie bemüht, sich dauerhaft in einer Fremdheit einzurichten, die sich auf dem Boden des Heimatlandes ausbreitete und von uns verlangte, permanent alte gegen neue Bilder auszutauschen.

## 3. Die hässlichen Jahre
Über den guten Geschmack

Weihnachten war im Osten der neunziger Jahre ein eigenartiges Fest. Schon nachmittags gegen zwei Uhr, der Baum stand noch verpackt im Garten, konnte es passieren, dass man über die riesengroßen, überall im Haus verteilten Einkaufstüten flog und dabei sehr unsanft auf die Herkunft der noch verpackten Geschenke hingewiesen wurde: Diesmal waren die Eltern also bei Globus gewesen, und uns Kindern wurde wieder einmal klar, dass sie diese Tempel des schlechten Geschmacks, die auf den grünen Wiesen zwischen Rostock, Sonneberg und Görlitz binnen weniger Monate wie Pilze aus dem Boden geschossen waren, wie nichts auf der Welt zu lieben schienen und nicht einmal am Weihnachtsfest auf sie verzichten wollten.

Je nach Sonderangebotslage stellte sich so der Gabentisch zusammen. Beispielsweise bestand er aus vier Stiegen Mandarinen und Apfelsinen, zwei Tüten eingeschweißter Nüsse und zwei Päckchen Melitta Auslese, vier Tafeln Sarotti-Schokolade und ein paar Flaschen

Rotkäppchen-Sekt der Geschmacksrichtung Mild. Letzterer vertrug sich, auch wenn er sich ausschließlich zum Süßen von Kinderbowle eignete, offensichtlich gut mit dem prall gefüllten Werberucksack gleich daneben, aus dem uns zehn Kilogramm Teigwaren Riesaer Provenienz und damit einheimischer Produktion anguckten. Die schöne, bunte Warenwelt konnte manchen überfordern, und so hatte vor allem die ältere Generation sich in den Jahren nach der Wende, wie sie glaubten, einen Fundus Sicherheit verheißender Kriterien zusammengeklaubt. Quantität dominierte hierbei eindeutig über Qualität, Pralinenschachteln hatten die Ausmaße von Tischfußballfeldern, mit Keksrollen konnte man gewalttätig werden, und die letzten Lebkuchen würden wir, so viel war sicher, im Sommer am Strand verzehren.

Doch der Nachmittag hatte seinen Höhepunkt noch nicht erreicht. Erst musste an Ort und Stelle eine Flasche Rotkäppchen geköpft werden. Prost. Frohe Weihnachten. Dass alle anderen ihr Glas flugs leeren und auf diese Weise schnell die ganze Flasche killen würden, das kannte ich schon von den letzten Malen. Zum Glück ahnten sie nicht, dass ich mein Glas später in die Spüle kippen und die übrigen Flaschen zu den Vorjahreskontingenten in den Keller schaffen würde und dabei hoffte, dort möge sie irgendwann mal irgendwer finden und einfach mitnehmen. Manchmal ließen sie sich für uns Studentenkinder noch etwas Besonderes einfallen: Sie verzichteten auf Plastiktüten und entschieden sich für die ökologischeren Stoffbeutel, die man, hübsch mit dem Namen der Supermarktkette verziert, gleich an der Kasse kaufen konnte, und legten diese dann, wie zur Krönung, obendrauf. Allein und völlig erschöpft, es war noch nicht einmal drei Uhr, stand ich vor dem riesigen Berg mit Geschenken, die niemand brauchte und keiner wollte, und wünschte mich weit weg.

Auch wenn das an einen schlechten Film erinnert, auch wenn es übertrieben sein mag, so erschreckte mich die geschmackliche Entwicklung unserer Eltern in den letzten Jahren doch. Warf ich mit Freunden, wie zur Beruhigung, einen Blick auf die alten Fotos ihrer Hochzeitsreisen, die nach Warnemünde, Potsdam, Weimar oder Oberwiesenthal geführt hatten, dann bemerkten wir, dass sie darauf eigentlich aussahen wie normale Kinder ihrer Zeit. Die Väter trugen weiße Hemden mit umgeschlagenen Manschetten, auf der Hüfte hingen Jeans, und die Haare fielen in die Stirn und über die Ohren. Die Mütter liebten kurze Röcke und hohe Stiefel, Mäntel mit Fellkragen und Ringelpullis mit Silberfäden. Nichts, was wir uns nicht auch hätten vorstellen können, nichts, wofür man sich hätte schämen müssen.

Früher waren sie schon kurz nach dem Ende der großen Sommerferien, wenn wir Kinder den neuen Stundenplan gerade halbwegs auswendig kannten, losgezogen, um über Umwege und mit Hilfe von Beziehun-

gen, wie sie sagten, ungarische Salami und Schweine-
lende zu besorgen, ohne die Weihnachten für sie nicht
Weihnachten war. Stets gab es Apfelsinen, Nüsse, Perl-
zwiebeln, Engerlinge, Würzfleisch mit Spargelspitzen
und Westschokolade für uns Kinder, selbst wenn man
keine Verwandten jenseits der Grenze hatte. Damals
wussten unsere Eltern noch, was gut war und was nicht.
Was also hatte sie in den Neunzigern so schwer irritiert
und ihre Geschmackssinne derart aus dem Gleich-
gewicht gebracht? Warum konnten sie nicht begreifen,
dass man mit einem Päckchen Kaffee, das früher jede
Tür zu öffnen half und über Jahrzehnte das beliebteste
Schiebergeschenk der DDR gewesen war, heute niemanden mehr beeindruckte? Und überhaupt, wo waren sie
geblieben, die Präsente, mit denen wir Kinder damals zu
fremden Leuten geschickt wurden? Was für Sachen,

fragten wir uns, ließen unsere Eltern wohl heute wie aus Versehen auf anderen Stubentischen liegen?

Wir wurden in einem materialistischen Staat geboren, obwohl heute oft das Gegenteil behauptet wird. Mit einfachen Statussymbolen baute jeder seine kleine Welt, und bereits als Kinder konnten wir Käfer- und Boxerjeans von solchen aus dem Westen unterscheiden. Ein Germina-Skateboard blieb für uns immer eine schlechte Kopie des berühmten Adidasbruders. An rosafarbenen Radiergummis, es ging das Gerücht, die seien mit Geschmack, haben wir heimlich und genussvoll unsere Zungen geleckt, und leere Pelikan-Tintenpatronen, deren kleine Verschlusskügelchen im Inneren so schön klapperten, hätten wir nie im Leben gegen einen LKW mit Heiko-Patronen eingetauscht. Und als es in der Mitte der achtziger Jahre neben Leninschweiß auch Maracuja-Limonade gab, die wir Limo nannten, wollten wir nur noch die. Kamen die Sticker von a-ha, C.C. Catch oder Modern Talking aus Polen statt aus der ‹Pop Rocky› oder ‹Bravo› und die Glitzis nicht aus dem Intershop, dann war uns das vor den anderen peinlich.

Die ganze DDR träumte von Bockbier und Pils aus der Tschechei. Man sparte für einen Farbfernseher oder einen Lada und beneidete die Nachbarn um ihren Bastei. An den Wochenenden bastelte man an den Datschen, die bis zur Klobrille holzvertäfelt sein mussten. Als zonale Kleinstvillen wiesen sie Girlandenketten, Hollywoodschaukel, Plastepool, Klettergerüst, Kaffee-

maschine, Kühlschrank, Couchgarnitur, Farbfernseher, Campingstühle und Campingliegen auf und waren ohne die samtene Velourstapete, über die ich als Kind immer gegen den Strich entlangfuhr und mich danach über die roten Punkte und den Juckreiz an den Händen freute, einfach keine richtigen Datschen. Aber vielleicht hatten die Dinge, als sie nach der Wende offen und für alle erreichbar in den Schaufenstern auslagen, für unsere Eltern einfach ihren Reiz verloren. Vielleicht hatten sie sich von der Warenwelt verabschiedet, weil sie nun nicht mehr wie Fährtensucher auf eine Expedition mit offenem Ausgang gehen mussten, um die kleinen Fetische über große Umwege zu besorgen. Für sie war das Spiel aus; sie waren ausgeschie-

**Die Küchen in den Neubauwohnungen waren stets ohne Fenster und so klein, dass sie durch eine Durchreiche mit dem Rest der Wohnung verbunden wurden. Uns Kindern diente sie als Theaterbühne oder Kaufmannsladen, und erst wenn Mutter das Abendbrot verteilen wollte, mussten wir uns ins Kinderzimmer verziehen.**

den. Viele von ihnen fuhren weiterhin nach Ungarn und Bulgarien in den Urlaub, und hätte der eine oder andere nicht in irgendeinem Autohaus eine Reise nach Hamburg gewonnen, er hätte das westdeutsche Meer womöglich nie gesehen.

Vor den Geburtstagen unserer Eltern kam es unter uns Kindern seitdem zu hitzigen Diskussionen darüber, was wir ihnen schenken sollten. Einigen konnten wir uns nie. Lange suchten wir nach einer besonderen Idee und bemerkten dabei gar nicht, wie sehr wir uns längst den feinen Distinktionen der westlichen Warenwelt ergeben hatten, mit ihnen lebten und wie weit sich der Abstand zwischen uns und unseren Eltern schon vergrößert hatte. So stellten wir uns in diesen Gesprächen vor, wie unsere Eltern, umringt vom Rest der Familie und ihren Freunden, in der Gaststätte einer nahe gelegenen Kleingartensparte saßen, die Geschenke vor sich aufgebaut. Ohne einen Blick auf den Gabentisch zu werfen, wusste ich, dass man unseren Vätern zu solchen Gelegenheiten immer Schnaps und Rasierwasser schenkte. Dazwischen konnte ein Buch über den Zweiten Weltkrieg liegen, eines von denen, die man an Zeitungskiosken billig kaufen konnte und denen man ihren Revanchismus schon von weitem ansah. Rommels Feldzüge nach Afrika oder so. Ansonsten gab es Hemden, Schlafanzüge oder Unterwäschegarnituren. Unsere Mütter bekamen Duschbäder mit passender Body-Lotion, Weinflaschen, Tischdecken oder Gewürzmühlen.

Unser Geschenk dagegen wäre klein und in das gewickelt, was wir als stilvolles Geschenkpapier bezeichneten. Die anderen Gäste würden mich bestimmt erschrocken ansehen, wenn ich das Päckchen überreichte. Das Geburtstagskind würde es rasch auspacken, sich artig bedanken und es schnell hinter die übrigen Geschenke legen, als solle es vor den Blicken der anderen versteckt werden. Seine Augen jedoch würden deutlich verraten, dass es uns die unnötige und vor allem unpassende Geldausgabe nur schwer verzeihen könne.

Manchmal schien es fast, als suchten wir zwittrigen Ostwestkinder diese Auftritte. Als müssten wir allen beweisen, dass wir uns von der Ostwelt hier verabschiedet hatten, dass wir stilvoller zu leben wussten. Wir ignorierten dabei bewusst, dass der alte Osten gar nicht so weit war und alle hier mit viel Mühe dabei waren, sich in der neuen Zeit, wie sie sagten, zurechtzufinden und irgendwann einzurichten. Sie hatten Angst, selbst die eigenen Kinder könnten über ihr Leben richten und ihnen ihre Geschichte vorwerfen, wenn sie, wie unsere Geschenke es anzudrohen schienen, nun die Seiten wechselten.

Zu was um alles in der Welt aber brauchten sie, die sich in Sozialprojekten mit Jugendlichen oder mit Grünpflegearbeiten von einer ABM in die nächste retteten, die in Umschulungsmaßnahmen lernten, wie man einen Apple bedient oder Konstruktionspläne für Flugzeuge zeichnet, einen Mont Blanc-Füller, gestand ich mir ein und sah, dass wir uns von unseren absurden Vorstellungen verabschieden mussten. Vielleicht, um das Anmeldeformular für die Volkshochschule zu unterschreiben, witzelte ich. Aber es gelang mir nicht, die Stimmung zu heben. Die Sache lag klar auf der Hand: Wir fanden keine passenden Geschenke, der Osten blieb pragmatisch; ihm stand der Sinn einfach nicht nach unserem Geschmack und neuen Vorlieben. Von da an schenkten wir nichts mehr.

In Wahrheit allerdings war auch unser Weg zu den feinen Unterschieden der westlichen Warenwelt lang und steinig. In der Mitte der neunziger Jahre erfreute sich der Osten eines hohen Zuzugs aus den alten Bundesländern, wie es in den Statistiken so schön hieß. Ich wunderte mich darüber, dass die Westler, die nun schon reichlich spät, wie ich fand, bei uns ankamen, noch immer nichts Besseres zu tun hatten, als uns beeindruckt die Geschichten ihrer Abenteuerurlaube in der Hohen Tatra, Warschau oder Bratislava zu erzählen. Wir gaben ihnen zum Ausgleich unsere Boomlandgeschichten, und das nervte bestimmt nicht weniger.

Die Mutter meines neuen Hamburger Mitbürgers Jonathan schickte regelmäßig Care-Pakete. Jonathan wiederum teilte den fair gehandelten Kaffee, die durchgefärbten, handgedrehten Kerzen, die Rosinen-Dattel-Schnitten und das Getreide der Götter gern mit mir. Von

der Schokolade aus ökologischem Anbau, mit Rohr-
zucker und echtem Kakao, traute ich mich nie, mehr als
ein oder zwei Stück zu nehmen, sie schien wirklich nicht
dafür gemacht, so achtlos und nebenbei gegessen zu
werden. Lud mich Jonathan bisweilen zu sich zum Essen
ein – er war stolz auf seine heruntergekommene Wohnung mit Ofenheizung und Außenklo –, gab es gedüns-
teten Fenchel in sahniger Soße, Vollkornbrot und französischen Rotwein, und ich hatte Mühe, das Besteck
ordentlich zu halten. Während er mir beim Essen erzählte, wie authentisch er die dicken Milchverkäuferin-
nen in ihren Kittelschürzen fand, wie er sich anfangs
beim Ofenheizen angestellt hatte und dass er jetzt auf
den Geschmack von Soljanka und Szegediner Gulasch
gekommen sei, versuchte ich, mir das Gemüse auf dem
Teller einzuprägen, um es später beim Gemüsemann
erkennen und verlangen zu können.

Ich bewunderte Jonathans kahles, spartanisches
Zimmer, das wie zufällig um eine gesunde Mischung
Chaos organisiert war. DDR-Wohnun-
gen waren immer restlos voll gestellt
gewesen. Bei unseren neuen Freunden
stand vor dem Fenster nur ein schwe-
rer, rustikaler Schreibtisch mit Computer, der durch Unmengen von Zetteln,
Papieren und Ordnern wie mit Orna-
menten verziert war. In einer Ecke des
Zimmers lag die Matratze, an den weiß

gekalkten Wänden hingen Fotos, getrocknete Blätter, Postkarten und Zeitungsausschnitte, die Anlage stand auf dem Boden, und überall stolperte ich über Taschenbücher, leere Kassetten- und CD-Hüllen, Fotobände und Comics, irgendwo natürlich auch über den obligatorischen Ficus. Besonders stolz aber war Jonathan auf seinen Stuck, den er mühevoll mit einer Zahnbürste, wie er mir erklärte, wieder hervorgeholt und anschließend, da er unbedingt nach ‹Patina› aussehen sollte, fleischfarben gestrichen hatte.

Ging ich mit Jonathan in die Kaufhalle, die er, statt Kaufhalle zu sagen, bei ihrem Namen nannte, ging ich also mittags zu Marktfrisch, kaufte er zwei Äpfel und erkundigte sich bei den verdutzten Verkäuferinnen, ob die Tomaten auch aus Deutschland kämen. Nach dem Abwiegen steckte er die Sachen nicht in die kleine, dafür vorgesehene Zellophantüte, sondern behielt seine Schätze, getrennt von den Preisaufklebern, in der Hand. Müller Blutorangen-Drink, den es leider nur im Plas-

tikbecher gab, wie er mir entschuldigend zuflüsterte, komplettierte seinen Mittagstisch. Als ich meine Packung Schoko-Crossies, eine Stange Hanutas und eine Büchse Coca-Cola daneben auf das Rollband legte, schaute er mich an und sagte vorwurfsvoll, also wenn man mich so sehe, könne man wirklich denken, die Mauer sei erst gestern gefallen. Insgeheim gab ich ihm Recht und hoffte, Jonathan würde Geduld mit mir haben.

Heute, wo wir erwachsener sind und man uns nur noch mit Mühe ansehen kann, wo wir ursprünglich herkommen, betrachte ich oft verschämt acht- bis zehnjährige Kinder in Ostberlin, Dresden oder Rostock bei ihren nachmittäglichen Reibereien auf dem Nachhauseweg. Ihre geschmackssichere Kleidung lässt mich leicht erschauern und neidvoll an meine eigene Kindheit denken. Die Nike-Mütze, den Scout-Schulranzen und die Hose von Esprit oder H&M – haben sie sich das selbst ausgesucht, oder haben ihre Eltern ihnen das gekauft? Wie nur, um alles in der Welt, gelingt es ihnen, schon in so jungen Jahren wie richtige Westler auszusehen?

Die erste Snowjeans bekam ich erst nach der Wende und lange nachdem der Trend vorbei war. Meine Mutter vermachte mir ihre alte, die mein Vater wahrscheinlich noch in den letzten Jahren der DDR im Intershop erstanden hatte. Auch wenn die Hose nun schon lange nicht mehr der letzte Schrei war, trug ich sie mit Stolz und nähte zur Aufbesserung links und rechts leuchtfarbene Schnürsenkel an, einen orangefarbenen und einen grünen. Später einmal erzählte mir ein älterer Freund, dass er in der DDR mit diesen Dingern seinen Lebensunterhalt bestritten habe. Er kaufte stapelweise weiße Schnürsenkel in der Drogerie und färbte sie zu Hause in großen Kochtöpfen mit Lebensmittelfarbe ein. Wenn er mehrere Hundertschaften davon in seiner Wohnung zum Trocknen aufgehängt hatte, sodass man sich kaum noch bewegen konnte, muss es ausgesehen haben, als regne es Bindfäden. Doch auch unsere Mütter taten alles, um uns Kinder ordentlich zu kleiden. Kinderklamotten aus dem Westen wurden nicht nur in der Familie von Hand zu Hand, sondern selbst unter Nachbarn und Arbeitskollegen weitergegeben. Woche für Woche liefen sie für uns durch die Läden, nicht um zu kaufen, was nötig, sondern um zu gucken, was möglich war. Aus weißen Malimo und Textilfarbe nähten sie für uns Sweat-Shirts, die wir Sweet-Shirts nannten, und bedruckten sie mit Hilfe von Schablonen aus alten Heftumschlägen mit Motiven, die wir uns in alten OTTO-Katalogen ausgesucht hatten. In der Schule konnte man damals dafür sehr bewundert werden.

Schaue ich mir heute ab und zu alte Kinderfotos an, auf denen der Jogginganzug gerade den Trainingsanzug vertrieben hat, und betrachte uns in den elenden Bettlakenanzügen, dann überkommen mich noch einmal die alten Gefühle. Da ist sie plötzlich wieder, diese Pein,

**Die Fünf-Mark-Treter hießen Fünf-Mark-Treter, weil sie keinen Namen und keine Herkunft hatten und jeder sie kannte, jeder sie trug.**

die unsere Urlaube in Ungarn und Bulgarien einst wie Klebstoff überzog, wenn wir dort auf gut gekleidete Westdeutsche, Engländer, Belgier oder Holländer trafen und uns nichts weiter wünschten, als irgendwann genau so auszusehen. Dann sehe ich uns wieder, wie wir im Wendeherbst mit unserem Begrüßungsgeld bei Hertie in Hof und Woolworth in Hannover den letzten Schrott kauften und sehr stolz auf alles waren.

Überhaupt: Denke ich an diese Zeit und betrachte Bilder unserer Jugend, wird mir schlecht. Unsicher, etwas verschreckt und immer unpassend gekleidet schauen wir in die Kamera. Unser Blick verrät, dass wir doch eigentlich nur alles richtig machen wollten. Aber es gelang nicht.

Vielleicht werde ich später, wenn ich meinen Kindern von unserer Jugend erzähle, einfach so tun, als habe sie erst mit zweiundzwanzig begonnen, vielleicht werde ich diese ersten, unsicheren und hässlichen Jahre kurzerhand aus unserem Leben streichen. Die Beweisfotos der Lehrjahre würde ich jedenfalls schon jetzt gern vernichten. Mitte der Neunziger, wir waren mittlerweile über fünf Jahre im Westen, hatten wir noch immer nicht gelernt, uns richtig anzuziehen. Jeder sah sofort, wo wir herkamen.


Dabei haben wir in den Anfangsjahren jede freie Minute genutzt, um den Westen zu beobachten, zu erkennen und zu verstehen. Wir wollten ihn täuschend echt imitieren. Ich hatte keine Lust mehr, aufzufallen, im Supermarkt wegen meines schlechten Geschmacks angemacht zu werden oder in ein Restaurant zu gehen, in dem ich wieder irgendetwas nicht kannte. Ich wollte ebenso Bescheid wissen, und so lief die Bildmaschine in meinem Kopf ständig, scannte alles um mich herum und registrierte die Gesten, Begrüßungsfloskeln, Redewendungen, Sprüche, Frisuren und Klamotten meiner westdeutschen Mitmenschen.

In der Universität konnte man das Ratespiel, wer aus welchem Teil des Landes kam, besonders gut spielen. Nach einigem Training hatte ich es zu einer gewissen Perfektion gebracht. Frauen waren leichter zu entschlüsseln als Männer. Westfrauen bestachen in der Regel durch ihren legeren Umgang mit Markenklamotten, die sie in einer Geste des Understatements gern mit einem Teil aus dem Secondhand oder von H&M konterkarierten, so als wollten sie sich erden. Auch gab sich die Weststudentin mit Vorliebe gänzlich unbeeindruckt von modischen Attitüden, die den etwas schalen Eindruck von Eintagsfliegen erzeugt hätten; war ein Pullover aus der Mode geraten, wurde er genau aus diesem Grund wieder hervorgekramt. Bei mir, da war ich mir sicher, hätte das einfach nur schlechten Geschmack bewiesen. Die junge Studentin aus München, Freiburg oder Kassel aber lebte individuell und griff, wie ich fand, nie daneben. In den letzten fünf Minuten vor Kursbeginn überflog sie noch schnell die SZ und hatte sich dadurch eigentlich schon enttarnt, während die Ostdeutsche in Regionalblättern las, am Pausenbrot knabberte oder die anderen im Raum beobachtete. Ihr westliches Pendant hätte ohne Zeitung in Gedanken versunken vor sich hin gestarrt, ohne jemanden eines Blickes zu würdigen.

Die junge Ostfrau der frühen Neunziger liebte ein buntes Potpourri diverser Hersteller, die man nicht als Marken bezeichnen konnte. Shoppte sie, dann ging sie bummeln und ließ sich von neuen Werbetafeln gern mal vom Weg abbringen. Sie mochte es, etwas Neues auszuprobieren. Eine feste Route, Unterwäsche immer hier und T-Shirts immer da, wäre ihr eintönig erschienen. Warum sollte sie die neu gewonnene Freiheit gleich wieder aufgeben? Außerdem hatte sie doch gerade erst verstanden, dass Klamotten ihre Qualität nicht mehr dadurch verrieten, dass jeder sie trug. Da vereinigte sich der weibliche, immer eine Spur zu ordinäre Stil von Pimkie mit der soliden Modigkeit von Young Fashion, Karstadt oder Zero. Da trug man klobige, an den Rändern mit Fell versehene Absatzschuhe von Deichmann oder Reno. Die Bluse durfte noch eine Bluse sein und wurde unter dem Pullover in die Hose gesteckt. Strickpullover mit farbigen Mustern waren eigentlich immer en vogue. Was die Frisuren anging, legte die Frau aus dem Osten eine an Unerschütterlichkeit grenzende Kontinuität an den Tag. Warum sollte plötzlich ausgedient haben, was sich schon in der Pubertät bewährt hatte?

Gruppen, die sich über Klamotten definierten, bereiteten mir dagegen eindeutig Probleme. Ostdeutsche und westdeutsche Müslis glichen sich aufs Haar, rosafarbene Blüschen unter grauen Benetton-Pullovern hatten sich die Dresdner Jurastudentinnen ziemlich schnell von ihren Hamburger Kolleginnen abgeschaut. Hypergestylte Mädels, die jeden Morgen vom Cover des *jetzt* Magazins in den Hörsaal schwebten, machten mir es ebenfalls schwer. Diese zur schalen Uniformität heruntergekommene Hipheit bedurfte in jedem Fall eines guten Trainings und einer ausdauernden Zeitschriftenlektüre, egal woher man stammte.

Später gab ich mein Spiel auf. Die Neunziger gingen ihrem Ende entgegen, und vor allem in der Hauptstadt stellten mir die Neuberliner nicht anders als die alten aus Ost- oder Westberlin immer häufiger ein Bein und entpuppten sich als der genau entgegengesetzten Herkunft.

Wofür man mich hielt? In den letzten Jahren immer häufiger für einen Westler. Ich hatte meine Lektionen gelernt und war nicht mehr zu enttarnen. Natürlich trugen wir längst mit derselben Lässigkeit Markenklamotten, die wir sogar in seltenen Anfällen von Übermut mit einem Billigteil konterkarierten, um uns auch ein bisschen zu erden. Unsere Schuhe kauften wir in kleinen Läden, und unsere Frisuren, meine ich, waren auch irgendwie individuell. Meinen sächsischen Dialekt hatte ich mir abgewöhnt. Niemand konnte ihn mehr erkennen.

Aber seltsamerweise machte es mich jedes Mal traurig, wenn jemand glaubte, ich sei aus Nürnberg oder Schleswig-Holstein.

Hätte man mir aber gesagt, ich käme aus der DDR, das sehe man mir doch sofort an, dann hätte ich Mühe gehabt, mich gerade zu halten und nicht ein paar Tränen in die Augen zu bekommen. Doch das geschah nicht. Nur ein alter Freund, den ich aus Kindertagen kannte – er war Schauspieler geworden und hatte dafür auch neu sprechen lernen müssen –, machte mich dann und wann auf Fehler in meiner zu weichen Aussprache aufmerksam. Zum Beispiel, wenn ich zu Hause auf das Band sprach: «Hier ist der Anrufbeantwortor...» und man mich an der Endung als Ostdeutsche identifizieren konnte. Weil ich das aber nicht wollte, ja unbedingt verhindern musste, sagte ich in Zukunft stattdessen «Anschluss».

## 4. Schulter an Schulter, Zahn um Zahn
Über unsere Eltern

Unsere westdeutschen Freunde hatten manchmal komische Ideen. Sie waren gern übermütig, mitunter exzentrisch und leidenschaftlich generationsübergreifend. Sie liebten es, sich in großen Freundschaftsgesten und ausladenden Familienfesten zu inszenieren, und ließen gern Welten aufeinander treffen, die für uns nicht zusammengehörten.

Ihre Eltern waren ihre Freunde. Sie gingen mit ihnen durch dick und dünn. Hatten sie sich gerade mit ihrem Freund oder ihrer Freundin gestritten oder waren sie durch eine Prüfung gefallen, riefen sie sofort bei ihren Eltern an, heulten sich ein bisschen aus und setzten sich noch in derselben Nacht spontan, am Ende und hoffnungslos allein in den Zug und fuhren nach Hause. Hier ließen sie sich ein paar Tage aufpäppeln, bewegten sich keinen Millimeter vom Sofa weg, liefen höchstens mal eine halbe Stunde durch den Wald. Erst wenn sie wieder richtig gesund waren, kehrten sie zu uns zurück ins Großstadtleben. Mutter war ihnen in solchen Phasen, wie sie sagten, die liebste Gesprächspartnerin. Sie hatte das eine oder andere schon erlebt, konnte reife Tipps fürs Leben geben und war selbst nachts um halb vier noch für ihre Kinder da. Vater verdiente wie nebenbei das Geld, fuhr seinen Kindern die Umzüge, sprach mit dem Makler, baute das Bücherregal zusammen oder kümmerte sich um die Steuererklärung.

Kündigten sich unsere Eltern aus Hoyerswerda, Schwerin oder Weimar an, dann kamen unsere westdeutschen Freunde auf die Idee, wir könnten doch die Chance nutzen und gemeinsam ins Theater oder essen gehen. So lerne man sich besser kennen und könne Erfahrungen austauschen. Überhaupt sollten wir DDR-Kinder endlich aufhören, so zu tun, als kämen wir aus dem Nichts und seien ganz allein auf der Welt.

Wir mochten unsere westdeutschen Freunde wirklich sehr, aber dass sie ihre Eltern überall mit hinschleppten, mit ihnen in ihr Lieblingscafé gingen, ihnen die Hörsäle und die Mensa zeigten und gemeinsam mit ihren Müttern wie verliebt Arm in Arm über den Flohmarkt schlenderten, das hatte uns schon immer genervt. Nun schlugen sie uns denselben Quatsch vor. Wir wussten gar nicht, was wir sagen sollten. Es war klar, dass das nur schief gehen konnte. Unsere Eltern waren nicht wie ihre.

Natürlich gingen wir mit ihnen ins Theater oder ins Restaurant, aber allein. Vor unserem wirklichen Leben versteckten wir sie, denn davon hatten sie nichts erlebt, dafür konnten sie uns keine Tipps geben, und nachts um vier riefen wir auch lieber andere Leute an.

Im Laufe der Neunziger hatten wir einiges mit Westeltern zu tun. Über diese Treffen haben wir oft gesprochen und uns viel erzählt. Ich war immer ein bisschen neidisch, wenn meine Freundin Jenny, die schon eine Weile mit Jonathan zusammen war, begann, vom silbergrauen Volvo seiner Eltern zu schwärmen, und hundertmal wiederholte, als würde ich es anders nicht kapieren, wie *subtil* sie den *Wagen* fand. Stets zündete sie sich dann beiläufig eine Zigarette an und spielte mir vor, wie sie – sie durfte den *Wagen* während der Besuche von Jonathans Eltern ab und zu allein fahren – zuerst die Automatik einschaltete, dann die Scheibe neben sich herunterkurbelte und den Ellbogen aus dem offenen Fenster hängen ließ, um sich selbst unsterblich cool zu finden und im Mundwinkel eine Zigarette zu rauchen. Und das alles, das müsse ich mir mal vorstellen!, mit einem Hamburger Kennzeichen.

Die Abendessen jedoch, setzte sie hinzu, waren immer gleich: Nach langen, meist etwas überschwänglichen Begrüßungen fand man schnell zu den üblichen Themen. Wie schön sich der Osten herausgeputzt habe, seit sie das letzte Mal da gewesen seien, lobten sie die Eltern von Jonathan. Das bemerke man bereits auf der Autobahn. Endlich seien die Schlaglöcher und die Imbissbuden am Straßenrand verschwunden. Sie könnten sich noch genau erinnern, wie es hier ausgesehen habe, als sie ihr Kind hier das letzte Mal besucht hätten. Da stank es an jeder Ecke erbärmlich nach Braunkohle, die Zweitakter verpesteten noch zusätzlich die Luft, und ein guter Italiener war auch nicht aufzutreiben. Kein Vergleich mehr zu heute. Es sei gut, wie alles gekommen sei, freute sich Jonathans Vater und fügte seufzend hinzu, dass man dafür ja auch gern ein bisschen tiefer in die Tasche gegriffen habe. Jenny als ostdeutsche Freundin wusste, was in solchen Momenten von ihr erwartet wurde: Sie drückte ihren Rücken stärker durch als normal, setzte ihr stolzestes Gesicht auf und lächelte Jonathans Vater dankbar neudeutsch mitten ins Gesicht.

Dann übernahm Jonathans Mutter die Regie und redete sich von der Theaterlandschaft der Zone und Manfred Krug über Kurt Masur und die Prinzen bis zu den Chancen der neuen Zeit und erklärte, dass jetzt auch hier im Osten jeder seines Glückes Schmied sein könne. Man müsse nur zur rechten Zeit am rechten Ort sein. Jenny ahnte da schon, dass nun der Zeitpunkt gekommen war, an dem die Eltern ihres Freundes sie einluden, doch einmal offen zu sprechen und zu berichten, ob sie und ihre anderen ostdeutschen Freunde ihre Chance genutzt, ihr Pionierhalstuch verbrannt und etwas aus sich gemacht hätten. Kaum hatte sie angesetzt zu erzählen, wie es ihr in den letzten Jahren ergangen war, da begannen nun ihrerseits die Westeltern, den Rücken stärker durchzudrücken und ganz vaterländisch zu gucken. Auf einmal sahen sie sehr stolz aus, und als mache dieses Gefühl vor niemandem Halt, als würde es vielmehr größer und immer größer, wurden um Jenny herum plötzlich alle sehr glückliche Menschen.

Mit unseren Osteltern hingegen blieben wir unabänderlich ein wenig unglücklich. Niemand von uns hätte an gemeinsamen Abenden mit Westfreunden und Osteltern – Abenden, zu denen es allerdings gar nicht kam, weil wir unsere Eltern ja versteckten – auf irgendetwas stolz sein können. Auch Jenny kannte die Dramaturgie der Tischmonologe ihrer Eltern zu genau und wusste, dass sich dabei nie etwas wie feierliche Stimmung einstellte; sie begannen stets mit der pauschalen Erklärung, dass es ja auf der Hand liege, wie viel sich zum Besseren verändert habe, und dass man die BRD und die DDR nicht vergleichen könne. Es sei schön, dass die Freiheit gekommen sei, schließlich hätten sie sich vierzig Jahre lang nichts sehnlicher gewünscht. Urlaubsreisen nach Italien und Paris.

Nun hätten sie sich endlich ihren Traum erfüllen können und ein Haus am Dorfrand gekauft. Dabei hätten sie eine Menge Glück gehabt, denn ein Bekannter besitze einen Sanitärfachhandel, und man habe die Badeeinrichtung und die Fliesen im Waschkeller zum Einkaufspreis bekommen. Überhaupt hätten sie am Haus viel selbst, also mit eigenen Händen und am Wochenende, gemacht. Seit einiger Zeit seien auch Nachbarn in die anderen Häuser eingezogen, die Wege in der Siedlung geteert und die Straßenschilder aufgestellt worden.

Ganz besonders freuten sie sich, dass der neue, aus einem Tagebauloch entstandene Badesee nun vollständig mit Wasser zugelaufen sei. Zu Fuß seien es nur fünf Minuten zum Strand. Nein, da könne man sich auf keinen Fall beklagen, sagten sie dann und lächelten.

Schade sei es allerdings schon, setzte Jennys Vater nach kurzem Schweigen mit leiserer Stimme wieder ein, dass seine Frau, die früher als Buchillustratorin ein gesichertes Auskommen gehabt habe, schon seit mehreren Jahren ohne Auftrag sei und auch keine Anstellung mehr finde. Und als wollte er sich stärken, griff er nach dem Bierglas, nahm einen Schluck und stellte es schließlich ein bisschen zu laut, wie Jonathan finden würde, zurück auf den Tisch. Jenny wusste, das war das Signal: Er würde loslegen.

Für die jungen Menschen, ja, da sei das heute eine prima Zeit. Das sähen sie an ihren Kindern, die nun in der ganzen Welt studieren könnten. Sie seien auch mal nach London gefahren und hätten sich den Campus und die Hörsäle angesehen; es sei ihr größtes Glück, wenn ihre Kinder etwas aus den neuen Möglichkeiten machten. Ihre Zeit aber sei das nicht mehr: Die da drüben hätten einfach nichts begriffen. Jenny stellte sich jetzt vor, wie sie sich in diesem Augenblick näher zu Jonathan hinüberbeugen würden. Und, ehrlich gesagt und unter uns, hätte man ihnen damals, im Herbst 89, prophezeit, dass es so kommen würde, sie wüssten nicht, ob sie an den Montagabenden nicht doch lieber zu Hause geblieben wären. Denn dafür, nein, dafür seien sie nicht auf die Straße gegangen.

Als gut erzogene Kinder würden unsere westdeutschen Freunde in solchen Momenten überlegen, wie sie die Situation retten könnten, und sich wahrscheinlich für die offensive Variante entscheiden; hier musste Verständigung herbeigeführt werden, am besten mit Argumenten und Antworten und Erklärungen und so. Wir aber kannten unsere Osteltern besser und wussten, dass es hier nichts nachzufragen oder zu erläutern gab. Zu oft hatten wir solche Gespräche schon erlebt: wie sie milde begannen und doch damit endeten, das Neue zu verfluchen oder die alten Zeiten wenigstens zu verteidigen. So war das Leben unserer Eltern. Erklärungen nützten ihnen nichts. Davon bekamen sie auch keine Jobs.

Für die Gespräche zu Hause gab es aus diesem Grund wichtige Regeln, die wir nicht verletzen durften. Man quatschte bei den Monologen der Eltern nicht dazwischen, meldete keine Zweifel an und stellte keine rhetorischen Fragen. Diskussionen konnten unsere Eltern sehr aufbringen. Nicht nur, dass sie meinten, wir Grünschnabel wollten beweisen, wie westdeutsch wir schon waren und wie gut wir das System verstanden hatten, nein, unsere Eltern glaubten in solchen Momenten nur noch mehr, zeigen zu müssen, wie sehr sie die heutigen Zustände, wie sie sagten, durchschauten. Ohne Unterbrechung würden sie uns über Arbeitslosigkeit, soziale Kälte, Korruptheit im Bundestag, die ostdeutsche

Misere und den Bundesdeutschen, den sie Bundi nannten, in seiner natürlichen Umgebung aufklären müssen. Wir konnten es nicht mehr hören.

Kinder hatten einfach weniger verstanden zu haben als ihre Eltern. Und so verheimlichten wir vor ihnen, was wir schon erlebt hatten und sie noch nicht. Jenny erwähnte nicht, dass sie mit den Eltern von Jonathan schon gemeinsam gegessen hatte. Sie erzählte nicht, wenn sie durch eine Prüfung gefallen war, dass der Job in der Agentur wichtiger war als ein Teilnahmeschein in der Uni und dass man heute weder mit zweiundzwanzig heiratete noch mit vierundzwanzig sein Studium beendet hatte. Unsere Eltern wussten nicht, wie hoch die Miete unserer Wohnungen wirklich war, wie viel das Mietauto für den Umzug gekostet hatte, dass wir PDS gewählt hatten, weil wir Gysi mochten, und wie teuer der letzte Urlaub in Italien tatsächlich gewesen war. So wie wir sie vor unserem Leben versteckten, so versteckten wir auch unser Leben vor ihnen.

Die Wende hatte uns alle zu Aufstiegskindern gemacht, die plötzlich aus dem Nirgendwo kamen und denen von allen Seiten eingeflüstert wurde, wo sie hinzuwollen hatten. Unser Blick ging nur nach vorn, nie zurück. Unablässig das Ziel vor Augen, taten wir gut daran, unsere Wurzeln so schnell wie möglich zu vergessen, geschmeidig, anpassungsfähig und ein bisschen gesichtslos zu werden. Dabei machte es keinen Unterschied, ob unsere Eltern Maler, Heizungsmonteure, Fotografen,

Zahnärzte, Lehrer oder Pfarrer waren. Wir waren die Söhne und Töchter der Verlierer, von den Gewinnern als Proletarier bespöttelt, mit dem Geruch von Totalitarismus und Arbeitsscheu behaftet. Wir hatten nicht vor, das länger zu bleiben.

Die Wahrheit über den Osten behielten wir selbstredend auch für uns. Wir gestanden unseren Eltern nicht, dass uns die fünf neuen Länder in ihrer Banalität und Hässlichkeit eigentlich auf die Nerven gingen, dass es uns anwiderte, wie Dresden und Leipzig sich wichtig nahmen. Kurt Biedenkopf war ein Kaiser ohne Kleider, Pfarrer Schorlemmer zu engagiert, Angela Merkel einfach inakzeptabel, Pfarrer Stolpe allemal suspekt, und Rolf Schwanitz hätten wir auf einem Foto nicht einmal wiedererkannt.

Es bestätigte unser Bild aus den Medien, wenn wir in Neubrandenburg auf der Straße von Kids als alte Säue beschimpft wurden, die sich nach Hause scheren sollten, oder wenn wir an der Ostsee kahl rasierte Magdeburger Jungs auf dem Zeltplatz Aufstellung nehmen sahen. Wenn ältere Männer uns in der Kaufhalle anschnauzten, wir sollten gefälligst einen Einkaufskorb nehmen, und ihre Frauen uns mit gewissenhafter Bestimmtheit darauf hinwiesen, dass wir unser Auto gerade in der Einfahrt zum Wäscheplatz abgestellt hatten. Fuhren wir mit dem Fahrrad auf dem Bürgersteig, mussten wir jeden Augenblick damit rechnen, dass ein stockschwingender Rentner sich vor uns aufbaute und wir beim Bremsen über den Lenker flogen. Der Osten war oft nichts anderes als das, was wir in unserer Fantasie daraus machten, doch als Gegenstück zur Bundesrepublik erfüllte er in jedem Fall seinen Zweck. Unsere Eltern allerdings wussten von all dem nichts. Gespräche mit ihnen waren kaum die richtige Bühne, um sich als zwittrige Ostwestkinder zu erkennen zu geben. Unsere Eltern waren in keinem Nachwendealltag angekommen. Zu Hause wurde nur mit Ostzunge gesprochen, und wenn wir der Meinung waren, das Ostdeutsche schon abgelegt und vergessen zu haben, dann würden wir diese Sprache eben wieder lernen müssen. So einfach entließ man im Osten die künftigen Generationen nicht aus der Pflicht. Wir erwiderten nichts.

Natürlich verstand Jonathan unser Schweigen nicht, und so passierte es manchmal, dass nun wiederum er sich zu Jenny rüberbeugte und mit leiser Stimme fragte, ob sie denn nicht mit ihren Eltern konstruktiv über den Inhalt ihres Studiums diskutierte. Jenny schaute dann erschreckt hoch und überlegte blitzschnell, ob sie wirklich sagen sollte, dass sie gar nicht sicher war, ob ihre Eltern wussten, was sie studierte. Aber dann sah sie noch einmal kurz in das Gesicht ihres Freundes und ließ es bleiben.

Jonathan hätte Jenny und mir in solchen Situationen sicherlich etwas von typischem Generationskonflikt, vom Wandel der Zeiten, vom Opferbringen sowie davon erzählt, dass jeder einmal an den Punkt komme, an dem er sich von zu Hause lösen müsse. Das habe er auch erlebt, als er aus der Provinz in die Großstadt gezogen sei. Jenny war während solcher Referate nicht sicher, ob er wirklich verstand, was wir meinten, und außerdem ärgerte sie das Gefühl, Jonathan sehe sie in solchen Momenten von der Seite an, als bemerke er zum ersten Mal, dass sie aus der DDR kam, und überlege dabei, ob sie auch so sei wie ihre Eltern.

Ich stellte mir dann vor, wie Jonathan zu Hause in seiner westdeutschen Provinz konstruktiv diskutierte, und dabei dehnte ich das Wort «konstruktiv» in Gedanken, als hielte ich es zwischen zwei spitze Finger. Sicherlich lösten sie abends am Esstisch erst alle zusammen *Tratschke fragt: Wer war's?*, bevor es was zu essen gab, besprachen danach die Probleme der Dritten Welt, die jüngsten Haushaltsbeschlüsse im Bundestag und klärten demokratisch, wer am Wochenende zum Bauern aufs Land fuhr und den Nachschub an Rohmilchkäse besorgte. Der Generationskonflikt, bei dem im Westen alle sofort an 1968 dachten, ging mir nicht aus dem Kopf. Die Sache lag bei uns jedoch etwas anders: Eine Rebellion gab es für uns nicht. Im Gegenteil: Wir waren nahezu die Einzigen, die nichts gegen unsere Eltern taten, so zumindest kam es uns manchmal vor. Sie lagen ja schon am Boden, inmitten der Depression einer ganzen Generation, und wir, die wir mit viel Glück und nur dank unserer späten Geburt um ein DDR-Schicksal herumgekommen waren, wollten die am Boden Liegenden nicht noch mit Füßen treten. Die Geschichte der Wende hatte die Illusionen und Selbstbilder unserer Eltern zerstört und weggefegt. Ihnen war nichts mehr zu entreißen, das sie noch in Besitz gehabt hätten.

Wie sollten wir glaubhaft versichern können, wir hätten uns damals nicht von der Stasi anwerben lassen, wir wären nicht in die SED eingetreten, sondern hätten Flugblätter verteilt, Untergrundzeitschriften publiziert und einen Ausreiseantrag gestellt? Unsere DDR war zu Ende, bevor wir solche Fragen beantworten mussten.

Mittlerweile hatten wir das halbe Leben in der Bundesrepublik verbracht und wussten keine Antwort auf die Frage: Was wäre gewesen, wenn nichts gewesen wäre? Wie sollten wir aber dann über das Leben unserer Eltern ein Urteil fällen? So haben wir mit ihnen schon vor langer Zeit einen Nichtangriffspakt geschlossen. Wir hatten uns in den letzten Jahren ohnedies auseinander gelebt und würden uns, das wussten wir, in der nächsten Zeit noch weiter von ihnen entfernen. Unsere gemeinsame Geschichte endete an dem Tag, als die Mauer fiel: Sie ängstigten sich um ihre Jobs, wir suchten uns das passende Gymnasium, büffelten dort die Sitzverteilung im Bundestag, lernten die Nationalhymne nun wieder mit Text und die Ereignisse des 17. Juni 1953 auswendig. Sie ließen sich scheiden, wir überlegten, ob wir das Austauschjahr in Amerika schon jetzt machen sollten oder erst im Studium. Sie schimpften über ihre westdeutschen Chefs, wir knutschten in den Hörsälen mit Friedrich aus Lübeck und Julia aus Ingolstadt. Da gab es keine Gemeinsamkeiten. Sie redeten kaum über ihr Leben, wir gar nicht über das unsere. Ihre Erfahrungen schienen nutzlos geworden, nutzlos für uns jedenfalls, sodass wir gut auf sie verzichten konnten.

Nur wenige von uns wären auf die Idee gekommen, mit unseren Eltern und unseren Freunden aus dem Westen gemeinsam ins Theater oder essen zu gehen, unser Band zu ihnen war zu dünn. Es reichte gerade einmal für Verständnis, Rührung und eine ziemliche Portion Mitleid aus. Wir griffen unsere Eltern nicht an. Wir stellten keine Fragen nach historischer Schuld oder Ähnlichem. Das Einzige, was wir taten: Wir verteidigten unsere Eltern. Wir wichen nie von ihrer Seite, sondern blieben da bis zum letzten Augenblick, so als gälte es, einem kleinen Bruder beizustehen.


Wir saßen mit unseren ostdeutschen Familien aber auch nicht oft allein zusammen. War früher der kleinste Anlass recht gewesen, alle einzuladen, sah man sich heute gerade noch zu runden Geburtstagen, goldenen Hochzeiten oder Jugendweihen. Erinnere ich mich an meine Kindheit, dann sehe ich wilde Gelage bis tief in die Nacht vor mir, bei denen niemand um zehn Uhr aufstand und nach Hause ging. Um diese Zeit wurden die Schnapsflaschen aus dem Delikat überhaupt erst hervorgeholt und die zehnte Tüte Engerlinge in die Kristallschale aus Prag gekippt. Die Muttis tranken Mocca Edel, Rosenthaler Kadarka oder Rotkäppchen-Sekt, und für uns Kinder wurde Eierlikör in Waffelbechern mit innen Schokolade ausgeschenkt, in die wir genussvoll unsere Zungen versenken konnten. Dann schwang sich einer der Väter zum Sprecher des Abends auf, und so, als sei er der Anführer einer kleinen revolutionären Bewegung, schimpfte er laut über die heutigen Zustände und darüber, was die Kommunisten aus uns und überhaupt aus diesem ganzen Land gemacht hätten. Wenn des Anführers Ehefrau ängstlich guckte und den Zeigefinger an den Mund legte, wussten wir Kinder, dass jetzt der rechte Zeitpunkt gekommen war, genauer hinzuhören.

Doch im Grunde kannten alle das Gerede schon; der Redner musste nicht erst lange Überzeugungsarbeit leisten. Man war sich schnell einig: Im Westen war alles besser, und wenn man dieselben Möglichkeiten hätte wie die da drüben, wäre man schon längst jemand ganz anderes. Wenn sie einen doch nur mal an den Schalter ließen. Zum Schluss erzählte ein anderer Vati Honi- und Gorbiwitze. Wir Kinder, die Zungen noch immer im Eierlikör, versuchten noch einmal, genau hinzuhören und uns die Witze zumindest bis Montagmorgen, erste große Pause, zu merken. Damit könnte es uns gelingen, die anderen in der großen Auswertungsrunde zu *Wetten dass?*, das wir ja leider nicht gesehen hatten, in den

Schatten zu stellen: Aber da wurden wir schon mit alkoholischen Gute-Nacht-Küssen ins Bett geschickt.

Besuchen wir heute unsere Eltern, haben wir immer ein bisschen das Gefühl, wir holten sie aus einem Altersheim ab, so weit sind sie von unserem Leben entfernt. Es ist, als führen wir ein wenig mit ihnen spazieren, gingen in das Café Eis essen, in dem sie den Kellner noch von früher kennen, und setzten sie am Ende des Nachmittags wieder im Heim ab. Die Eltern-Kind-Beziehung hat sich für uns schon länger erledigt, und wir sehnen den Tag herbei, an dem wir vollkommen unabhängig sein und Geld verdienen werden. Nicht nur, dass unsere Eltern daran den Grad des Angekommenseins in der neuen Zeit, wie sie sagen, messen könnten, es schmerzt uns einfach auch, mit ansehen zu müssen, wie sie, die nur noch ein paar Jahre von der Pensionierung entfernt sind, wie Dreißigjährige gerade einmal so weit sind, das Geld für ihre monatlichen Ausgaben zu verdienen. Sie sind um mehr als zwanzig Jahre zurückgeworfen, und beobachten wir sie in ihrem Schlamassel, dann nervt uns das: Wie Hamster in Laufrädern, denen niemand sagt, dass man die Geschwindigkeit darin selbst bestimmen kann, und stattdessen voller Angst, das Rad könnte irgendwann zum Stehen kommen und es gäbe dann nichts mehr, was es wieder in Bewegung brächte, laufen sie immer weiter und weiter. Erzählten uns Freunde aus dem Westen, dass ihre Mütter Angst davor hätten, in den Zug zu steigen, um ihre Kinder zu besuchen, und lieber den Überlandbus nähmen, dann mussten wir lachen. Unsere Eltern hatten sich gerade einen Computer gekauft, weil sie der Meinung waren, jetzt auch zu Hause online gehen zu müssen, und sie lernten zweimal die Woche Englisch, wofür, das wüsste zwar kein Mensch, doch waren sie der festen Überzeugung, das brauchte man in der heutigen Zeit. Wenn wir daran dachten, überfiel uns eine große, schwere Sehnsucht nach diesem Stillstand im anderen Teil des Landes, aus dem wir nicht kamen. Wir sehnten uns nach dieser Zeitlosigkeit und Langeweile, die dort alles in sich einzuhüllen und zu überdecken schien, bis nichts Brüchiges und Unebenes mehr darunter zu sehen war.

Unsere Eltern, so sehen wir es, sind müde und ein bisschen zu alt für die neue Zeit. Sie sind die Sitzenbleiber einer anderen Epoche, die sich gerade erledigt hat und aus der nur Carmen Nebel, das Ampelmännchen, Nordhäuser Doppelkorn, Plauener Spitze und die PDS übrig geblieben sind. Wer wollte es uns da verübeln, dass wir uns ihnen überlegen fühlen und glauben, die Dinge besser verstanden zu haben als sie?

Und so sehen wir für uns keine andere Möglichkeit, als erfolgreich zu sein. Wir wollen Geld verdienen und allen zeigen, dass wir die Spielregeln des Westens gelernt haben und damit umgehen können. Wenn wir uns in den nächsten zehn Jahren gut schlagen und einen anständigen Job bekommen, dann erhalten unsere Eltern immerhin im Nachhinein Recht und dürfen glauben, im Westen und in der DDR nicht alles falsch gemacht zu haben. Scheitern wir jedoch, sind wir ein Beweis mehr dafür, dass diesem System nicht beizukommen ist und dass ohne Beziehungen hier niemand etwas aus sich machen kann. Aber auch das behalten wir für uns.

## 5. Ja, das geloben wir!
Über unsere Erziehung

*Nimm die Hände aus der Tasche. Sei kein Frosch und keine Flasche. Zieh nicht Leine, das ist deine Sache hier,* so lautet das Erkennungslied unserer Kindheit als Junge Pioniere und FDJler. Wir haben den alten Omas in der Straßenbahn unseren Sitzplatz angeboten, ihnen wie Timur und sein Trupp die Kohlen aus dem Keller geholt und die Einkaufsnetze nach Hause getragen. Samstag liefen wir in aller Frühe zum Subbotnik in die Schule, strichen Schul- und Fensterbänke neu und ließen uns von den Vatis

Musste man kranken Mitschülern nach dem Unterricht die Hausaufgaben und die Milchtüte vorbeibringen, konnte es passieren, dass es ganz tief im Inneren des Ranzens genauso stank wie in den Milchkästen, nach einer Mischung aus verlaufenem Kakao, saurer Voll- und Fruchtmilch.

Sonnen auf den grauen Pflasterstein malen. Vor der Kaufhalle verkauften wir Samen und Blumen aus dem Schulgarten und spendeten den Erlös für die Kinder in Vietnam. Wir säuberten die Rabatten vor der Turnhalle, sammelten alte Milchtüten aus den Gebüschen oder übernahmen Patenschaften für ein Pflegeobjekt im Wohngebiet. Zum 1. Mai bastelten wir rote Nelken aus Krepppapier oder paukten mit den schwächeren Schülern im Schulkeller Matheaufgaben.

Wir waren immer bereit, ein Amt zu übernehmen. Der Agitator schrieb Berichte über die Männer an der Trasse oder las der Klasse hinter einem zum Fernseher umgebauten Schuhkarton die Highlights der *Aktuellen Kamera* vor. Der Schriftführer, das war eins der schönsten Mädchen mit der schönsten Schrift, verfasste im Gruppenbuch lange Aufsätze über den letzten Pioniernachmittag. Der Brigadeleiter kontrollierte die Hausaufgaben, der Klassenbuch-

**Das Schuldenkmal:**
**Links und rechts des Weges**
nahmen wir, die Hand zum
Gruß, Aufstellung, sodass die
Pionierleiterin, flankiert von
guten Schülern, an uns
vorüberziehen und Kränze
niederlegen konnte.

dienst trug das Klassenbuch, der Milchdienst holte die Milch, und der Kassierer kassierte. Wir alle kämpften um das Sportabzeichen, die Schwimmstufe III und die Auszeichnung für gutes Lernen. Zum Fahnenappell erschienen wir mit Halstuch und Käppi. Zu Muttis Freude hatten wir immer ein sauberes Taschentuch in der Tasche. Bis ich eines Tages wirklich gefordert und wie Lenin geheime Botschaften mit Milch schreiben würde, begnügte ich mich damit, Kartoffelschalen in die Speckitonne zu tragen, die Geschichte der SED auswendig zu lernen und wie Teddy den ärmeren Mitschülern von meinen Schulschnitten abzugeben. Meine Schreibhefte hatten keine Eselsohren, das Hausaufgabenheft war immer vorgetragen, und in Mathe gab ich mir Mühe, beim Zahlenschreiben nicht an den oberen blauen Kästchenrand zu stoßen.

Alle sollten sich auf mich verlassen können. Ich war einer der jüngsten Staatsbürger der jungen DDR und sollte den Sozialismus weiterbringen, damit er vielleicht doch noch, eines fernen Tages, zum Kommunismus würde. Es war unser großes Glück, dass wir in Frieden und Sozialismus geboren und aufgewachsen sein durften, Krieg und Bomben, Not und Hunger nicht am eigenen Leib verspüren mussten. Aber noch immer waren die drohenden Wolken der Kriegsgefahr nicht verschwunden, der Kampf unseres Volkes um den Frieden nicht zu Ende gefochten. Auch ich musste meinen Mann stehen und, notfalls mit der Waffe in der Hand, verhindern helfen, dass die imperialistische Gefahr sich weiter ausbreitete.

So wie Erich Honecker und seine Genossen ins Zuchthaus mussten, weil sie dafür gekämpft hatten, dass von deutschem Boden nie wieder ein Krieg ausgehe, so durften wir das kostbare sozialistische Erbe nicht leichtsinnig aus den Händen geben. Gleich dem Arbeiter an der Drehbank, dem Bauer auf dem Mähdrescher und dem Volkspolizist am Fahrdamm gelobten wir Schüler, nach hoher Bildung und Kultur zu streben und unser Wissen und Können für die Verwirklichung der großen humanistischen Ideale einzusetzen. Hier hatte jeder eine Aufgabe zu übernehmen, und unsere Eltern, Lehrer, die erfahreneren Freunde in der Freien Deutschen Jugend und die Paten aus den Betrieben würden uns dabei mit Rat und Tat zur Seite stehen.

Es kam auf jeden an. Für alles trugen wir Verantwortung. Wenn die Kinder in Afrika nichts zu essen hatten, nahm ich mein Spielzeug mit in die Schule und gab es in der Turnhalle an alte Frauen von der Volkssolidarität, die an langen Schulbänken saßen und alles aufschreiben mussten. Später sollte es verkauft und in Medikamente oder neues Spielzeug umgewandelt werden. Mich aber interessierte eigentlich nur, wo die alten Frauen mein Spielzeug wohl hinbringen würden und wo man es wieder zurückkaufen könnte. Denn natürlich wollte ich alles wiederhaben, und das von meinen Mitschülern am besten gleich mit.

Ich war auch verantwortlich für das Sternenkriegs-programm von Ronald Reagan, zumindest dann, wenn ich mich nicht glaubhaft und zu jeder Zeit zum Sozialismus bekannte und nicht richtig mitmachte, wenn hinter der Schule Marschieren geübt wurde. Zu Ehren des Fest des Liedes und des Marsches vergrub unsere Klasse 1985 schon mal vorsichtshalber das Gruppenbuch, damit die Pioniere des Jahres 2000, wenn der Atomschlag nicht doch vorher gekommen war, was zum Ausgraben hatten und sicher sein konnten, dass es schon Generationen von Kindern vor ihnen gab, die auch für die gute Sache gekämpft hatten. Vor allem dem Schriftführer, der Woche für Woche in der schwarzen Klemmmappe die Ereignisse und Verläufe unserer Pioniernachmittage notiert und bebildert hatte, muss diese Beerdigung das Herz gebrochen haben. Und auch mich stimmt es bestenfalls versöhnlich, das Buch noch dort, am Fuße des Ascheberges, gleich hinter unserem Neubaugebiet, liegen zu wissen und mir vorzustellen, wie es dort allein einen endlosen Traum träumt.

In meiner Kindheit, so kommt es mir heute vor, herrschte Krieg. Überall auf der Erde. Alle kämpften. Die Sandinisten in Nikaragua, der ANC in Südafrika und die Angolaner in Angola. Nur die DDR blieb dank der sozialistischen Bruderstaaten, der sowjetischen Streitkräfte und der Freunde der NVA vorerst verschont. Falls wir aber unsere Wandzeitungen über den Bielefelder Lehrer mit Berufsverbot wieder nicht rechtzeitig fertig stellen sollten, würden wir genau tun, worauf die Imperialisten nur warteten; dann konnte der Atomschlag schon morgen kommen. Nachmittags baute ich mit meinen Freunden Höhlen, in die ich, sobald die Bomben fielen, kriechen würde, um mich zu verstecken. Wir dachten uns Frühwarnsysteme aus, wer bei wem klingeln und wen man alarmieren sollte, denn natürlich wollten wir, wenn es Überlebende gab, darunter sein.

Lag ich abends allein im Bett – zum Abendbrot hatte es wunderbare Makkaroni mit Jägerschnitzel gegeben – und färbte dann plötzlich das Abendrot mein Kinderzimmer so komisch feuerfarben, wusste ich, jetzt ging es los. Die ersten Häuser im Viertel brannten schon, und unsere Höhle war ziemlich weit weg. Ich bekam Angst, die so lange blieb, bis ich über den Briefen einschlief, die ich in Gedanken an Erich Honecker schrieb und in denen ich ihn bat, alles zu tun, damit die Amerikaner ihre Bomber wieder in die Garage fuhren, wir würden morgen auch geloben, noch mehr Altpapier zu sammeln, und ob er nicht vielleicht ein großes Glasdach über die DDR bauen könne, das die Bomben abhielte, schließlich wisse er doch, wie so etwas gehe.


Zu Hause war natürlich alles anders. Selbst wenn unsere Vatis in Elternbeiräten saßen und mit dem Direktor besprachen, wo man neue Fenster fürs Schulklo herbe-

# 1. März-Tag der Volksarmee!

Am 1. März feiert die Nationale Volksarmee ihren Ehrentag.

kam, und unsere Muttis an Pioniernachmittagen vor-
führten, wie man mit Kartoffeldruck für die anderen
Muttis zum Frauentag Deckchen gestaltete, hielten sie
das doch für ziemlich lästige Angelegenheiten. Regelmäßig stritten sie am Abend vor den Elternabenden, wer
hinzugehen habe. Sobald einmal ein Wandertag anstand
und mindestens drei Muttis gesucht wurden, uns durch
den dichten Verkehr zu geleiten, war man krank, hatte
eine Sitzung im Betrieb oder musste zur Kosmetik. Dass
wir das in der Schule nicht erzählen durften, sondern
einfach still in der Bank sitzen bleiben und uns nicht
rühren sollten, bis eine Mutti gefunden war; das musste
uns nicht erst gesagt werden. Auch waren wir Profis
darin, sooft es darum ging, bei Diskussionen über das
Fernsehprogramm des Vorabends entweder den Mund
zu halten, wenn der Lehrer ins Zimmer kam, oder statt
*Wetten dass?* und *Die versteckte Kamera* oder *Hart, aber
herzlich* einfach solche Worte wie *Mach mit, mach's nach,
mach's besser, Wunschbriefkasten, Ein Kessel Buntes, Inka*
oder *Ralf ‹Bummi› Bursy* zu sagen.

Unsere Eltern verlangten von uns, dass wir clever
waren. Wir mussten erkennen, dass ein Amt im Gruppenrat uns helfen mochte, einen Abiturplatz zu ergattern und später studieren zu können. BMA war für sie
auch okay, aber nur gerade so. Auf keinen Fall sollten
wir es uns durch auffälliges Verhalten mit irgendjeman-
dem verscherzen. Unsere Eltern hassten es, wenn wir
wieder eine Drei in Betragen, Ordnung, Mitarbeit oder

Fleiß bekommen hatten und sie Samstagmittag in der Schule antanzen durften, um sich von unseren Klassenlehrern im Lehrerzimmer sagen zu lassen, was sie in ihrer Erziehung falsch machten. Allein um ihnen das zu ersparen, setzen wir uns in die zweite Bankreihe und, wenn möglich, ganz nah an den Streber.

Es war für mich immer das höchste Gebot, schon vorher zu wissen, was man von mir verlangte. So konnte ich unerkannt bleiben. Ich wollte weder durch übertriebene Kenntnis im Geschichtsunterricht auffallen, noch kiloweise Altpapier in die Schule schleppen. Das war eigenartig. Niemand hatte bei Klassenfahrten zu viel Westschokolade im Campingbeutel. Wenn ich meine guten Sachen nur zu den Familienfeiern und im Theater, aber nicht in der Schule trug, dann war das in jedem Falle besser, als wenn über mich gesprochen worden wäre. Überhaupt, es sollte kein Gerede entstehen. Nicht auffallen und immer Durchschnitt bleiben. Väter, die in einem Fußballklub oder einer Gaststätte arbeiteten, waren genauso verdächtig wie Familien, die zwei Autos oder vier Kinder hatten oder bei denen die Mütter nicht arbeiten gingen. Mit Mitschülern, bei denen man nicht mit in die Wohnung durfte und die häufig Bananen in ihrer Brotbüchse hatten, sollten wir uns auch nicht zu sehr einlassen. Bei Kindern ohne Vater, das war dasselbe, wüßte man auch nie, woran man war.

Vom Westen hatten wir, offiziell, nichts zu halten. Der bestand nur aus Lehrern mit Berufsverbot, Massenentlassungen, Mietwucher und imperialen Bestrebungen für ein Großdeutschland. Schon Wochen vor der Leipziger Messe wurden wir von der Klassenlehrerin belehrt, dass man während der Messe kein westliches Schokoladenpapier von der Straße aufheben sollte. Wir durften unsere Nasen nicht an die Scheiben der Westautos drücken und die Messegäste nicht um Flugtickets, Aufkleber, Ritter Sport, Wrigley's Spearmint oder Huba Buba anbetteln. Wer mit einem abgebrochenen Mercedesstern in der Schule auftauchte, konnte sich gleich im Direktorenzimmer melden. So machten die Lehrer Westdeutschland für mich zu einem Land, in dem Erwachsene Kinder so liebten, dass sie stets Schokolade und Kaugummis in den Taschen trugen und ihnen auf offener Straße, anscheinend ohne darum gebeten werden zu müssen, davon abgaben. Ging ich in der Messezeit von der Schule nach Hause und begegnete ich auf meinem Weg einem Westdeutschen, schaute ich ihm lange und freundschaftlich entgegen, da er ja ein Freund der Kinder sein musste und mir vielleicht ein kleines Stück von den Schätzen in seinen Taschen abgeben würde. Ich musste mir eben nur verkneifen, ihn vorher zu fragen.

Offiziell beendet war unsere Erziehung am Tag der Jugendweihe. Wir waren in der Achten und seit einem halben Jahr FDJler, die meisten Jungs hatten sich für an-

derthalb oder drei Jahre zum Dienst an der Waffe gemeldet, in vier Jahren durften wir in die Partei eintreten und wurden heute, als Höhepunkt unseres bisherigen Lebens, in die große Gemeinschaft des werktätigen Volkes aufgenommen und zu einer sozialistischen Persönlichkeit gemacht.

Schon Wochen vorher wurde die Feier bis ins Detail geplant. Im Kultursaal der VEB Stadtreinigung oder ähnlich anziehenden Orten mit brauner Velourstapete, grauem Linoleum und schweren roten Vorhängen mussten wir immer wieder Aufstellung nehmen, in alphabetisch geordneten Fünfergruppen den Gang auf die Bühne proben und die Überreichung der Urkunden und Blumen ein ums andere Mal durchspielen. Wir gelobten, diesmal vor unseren Eltern,

Wir laden Sie, liebe Eltern, werte Gäste und Euch, liebe Jugendweiheteilnehmer, zu der am SONNTAG, dem 2. April 1989, 9.00 Uhr, im Kultursaal des VEB Stadtreinigung stattfindenden

## Jugendweihefeier

der 144. Oberschule „Erich Köhn" recht herzlich ein.

FDJ-Grundorganisation — Schulbereichsausschuß für Jugendweihe

DIE FESTANSPRACHE HÄLT:
ELFRIEDE RICHTER
Vorsitzende des Kreisvorstandes Leipzig-West des
Freien Deutschen Gewerkschaftsbundes

ES WIRKEN MIT:
Ilona Schlott, Gesang und Rezitationen
Martin Hoepfner, Konzertgitarre
Thomas Prokein, Violine

### Festprogramm

| | |
|---|---|
| Einzug der Jugendlichen | |
| Nationalhymne | |
| Sonate a-moll, op. 1 für Violine und Gitarre | Jean Baptiste Loillet de Gant |
| FESTANSPRACHE – GELÖBNIS | |
| Sonate III aus Centone di Sonate für Violine und Gitarre | Nicolo Paganini |
| ÜBERREICHUNG DER URKUNDEN UND GESCHENKBÜCHER | |
| Bossa nova | Gerald Schwertberger |
| Werte | Eva Strittmatter |
| Die Kraniche fliegen im Keil | Text und Musik: Kurt Demmler |
| Stammbuchverse III | Eva Strittmatter |
| Wildvögelein | Volkslied |
| aus „Das Impressum" | Hermann Kant |
| Fröhlicher Tanz | Bearbeitung: Thomas Heyn |
| Dank der Jugendlichen | |
| Auszug der Jugendlichen | |
| Änderungen vorbehalten | |

Oma und Opa und dem gesamten Lehrerkollektiv, dass wir uns immer für die große Sache des Sozialismus einsetzen, den Bruderbund mit der Sowjetunion vertiefen und im Geiste des proletarischen Internationalismus kämpfen würden. Das große, schwere Buch hieß «Vom Sinn unseres Lebens». Es fasste unser kurzes Dasein für heute und alle Ewigkeit in fünf Fragen: Wer bin ich? Was kann ich? Was will ich? Wem nütze ich? Wer braucht mich?

Ich liebte solche Bücher, denn warfen sie erst einmal verwirrende Fragen auf, hielten sie mit der Antwort nicht lange hinterm Berg, sondern machten sich gleich daran, alles zu erklären: Wissen und Können, Verantwortungsbewusstsein und Pflichtgefühl gegenüber der Gesellschaft, den festen Klassenstandpunkt und die Bereitschaft, beim Lernen und in der Arbeit den hohen Anforderungen zu entsprechen, die an jeden Werktätigen in unserem Land gestellt würden. Das sind die entscheidenden Merkmale einer sozialistischen Persönlichkeit, hieß es da, zu der sich jeder bilden könne, der, wie die marxistisch-leninistische Weltanschauung es vorgebe, über Bewusstsein verfüge und zu selbständigem Handeln fähig sei. Dazu gehörten im Übrigen auch Menschen, sagte man mir an anderer Stelle, die mit angeborenen Schädigungen des Herz-Kreislauf-Systems auf die Welt gekommen seien, ja selbst Körperbehinderte.

Als die Mauer dann weg war, war alles anders. Auf einmal hatten viele Familien zwei Autos, die Muttis hießen nicht länger Muttis und gingen nicht mehr arbeiten. Die meisten von ihnen hatten drei oder vier Kinder. Saubere Taschentücher in meinen Taschen waren kein Problem mehr, konnte ich doch immer gleich zehn mit mir rumtragen und die dreckigen einfach wegwerfen. Statt Schulschnitten gab es jetzt Milchschnitte, von der gab man freiwillig niemandem etwas ab, und wer Teddy und Lenin waren, wer wusste das schon noch? Bananen und Westschokolade brachte von nun an jeder mit in die Schule, so viel er tragen konnte, Pelikan-Tintenpatronen und Maoam verloren mit zunehmender Präsenz ihren Wert, und «geloben», dieses Wort gab es nicht mehr. Genauso wenig wie Ronald Reagan und die Imperialisten; die waren jetzt auch verschwunden. Während im Heimatkundeunterricht unserer Kinderjahre der Aufbau der DDR-Bezirke behandelt worden war, begann der Geschichtskurs, wie das Fach jetzt hieß, damit, dass wir die Namen der westdeutschen Bundesländer und der dazugehörigen Hauptstädte aufsagen mussten. Man hatte aufzustehen und wie aus der Pistole geschossen Rheinland-Pfalz und Hessen, Mainz und Düsseldorf zuzuordnen. Doch anders als alte Leute, die noch ihre Kinderlieder auswendig können, weiß ich davon nicht mehr viel. Später stand dann die Geschichte der Bundesrepublik nach 1945 auf dem Lehrplan. Wir haben die Daten der Ära Adenauer auswendig gelernt, die Wirtschafts-

politik Ludwig Erhards, die Debatten über die Wieder-
bewaffnung der Bundesrepublik, Wirtschaftswunder,
Saarabstimmung, Studentenrevolte, RAF und Misstrau-
ensvotum, doch als es hieß, jeder Schüler solle einen
Vortrag zu einem Thema seiner Wahl halten, habe ich
mir den Bauarbeiteraufstand vom 1. Juni 1953 ausgesucht. Meine Geschichtslehrerin wurde zu einer Neuleh-
rerin. Sie brachte ihren Eleven der ersten Stunde bei, was
sie sich selbst am Nachmittag zuvor in der Bibliothek
angelesen hatte. Oft notierte sie sich unsere Fragen auf
einem Zettel und präsentierte am nächsten Tag die
Antwort. Meinen Vortrag kopierte sie sich. Hier griff
sich jeder unter die Arme.

Nur forderten unsere Eltern nun noch nachdrück-
licher, dass wir clever sein sollten. Noch cleverer als vorher, und zwar so, dass es jeder sehen konnte und die
Lehrer es sofort bemerkten. In all den Diskussionen, die
an jeder Ecke und in jeder Schulstunde stattfanden und
die mir irgendwann, aber recht bald, ziemlich überflüssig vorkamen, sollten wir beweisen, dass wir über kriti-
sches Bewusstsein verfügten, uns intensiv mit unserer
Umwelt auseinander setzten und in der Lage waren,
Alternativen zu formulieren. Die Erwachsenen wollten
plötzlich wissen, was uns an unserem bisherigen Leben
nicht gefallen hatte, was wir an den Strukturen, wie sie
sagten, in der Schule, beim Sport, bei den Pionieren,
beim Chor und wo auch immer verbessern wollten.

Ich gab mir viel Mühe – denn ich lebte jetzt in der

Demokratie –, nicht wie früher alles vorher genau zu überlegen, sondern schnell zu kritisieren und manchmal sogar zu provozieren: Dass ich die Erbsensuppe in der Schülerspeisung nicht mehr sehen konnte, fiel mir ein, und dass der Schokopudding nie für alle gereicht hatte, hatte mich schon gestört. Und die Fluortabletten, die Reihenuntersuchung, PA und ESP, der Fahnenappell und der Stabi-Unterricht. Ja, und reisen wollte ich natürlich und Westgeld auch. Ansonsten hatte ich mein bisheriges Leben so schlecht nun auch wieder nicht gefunden, dass gleich alles anders werden musste. Aber das sagte ich nicht laut, sondern kritisierte zunächst, wie es von uns verlangt wurde. Schließlich hatten wir noch keine Erfahrungen mit der Demokratie. Die würden wir uns erst mal in Ruhe ansehen, um herauszufinden, welche Strategien zwischen Schule und Elternhaus nunmehr angesagt seien.

Das Kämpfen konnten wir nicht so schnell abstellen. Wir glaubten vielmehr, es habe jetzt mehr Sinn als vorher, nur dass der Kampf nicht mehr im Übungslager stattfände, sondern auf der Straße. Und so war jeder Anlass gut genug: Auf Schülerdemos kämpften wir für unsere Fünf-Tage-Woche, zusammen mit den Studenten und irgendwelchen Rettungskomitees für den Erhalt von DT'64 und stellten in zweifelhafter Koalition die Nahrungsaufnahme ein, um für die Arbeitsplätze unserer Profs zu kämpfen. Hauptsache, wir kämpften weiter und traten, wie uns alle sagten, in den Dialog. Die

Demokratie sei dazu gemacht, dass die Bürger die Instrumente der Demokratie nutzten und sich aktiv für ihre Belange einsetzten, hatte ich erst kürzlich bei meinem ersten Westlehrer im Ethikunterricht von der Tafel abgeschrieben. Das schien mir logisch. Das glaubte ich.

Als die Amerikaner 1991 den Irak angriffen, sind wir deshalb noch ein oder zwei Mal mit der Kerze durch die Straßen gezogen, haben den anderen ein bisschen zugesehen, wie sie *Give Peace a Chance* sangen, hielten das streng genommen für eine ziemliche Übertreibung. Es waren dieselben Leute, die auf der Straße schliefen, weil sie dachten, der Krieg ginge dadurch schneller zu Ende. Eigentlich hatten sie bloß keinen Job abbekommen und einfach zu viel Zeit, also stritten sie sich in Gremien, Komitees und Studentenräten. Aber Engagieren und Politik waren verdächtig. In der Zeit verdienten wir lieber Geld. Die Suche nach einer Strategie für die Schule und für zu Hause hielten wir nicht mehr für notwendig. Wir hatten schon verstanden: Wenn alle ihre Meinung sagten, war einfach niemand mehr da, der zuhörte.

Die Bilder von Milosevics Straflagern haben wir uns später kommentarlos im Fernsehen angesehen. Den Kampf hatten wir längst eingestellt. Der eine oder andere wird sich im ARD-Brennpunkt noch die Nummer eines Spendenkontos aufgeschrieben oder eine Plastetüte zusätzlich in die Kleiderspende vorm Supermarkt geworfen haben, aber verantwortlich fühlten wir uns hierfür nicht mehr. Unsere Welt war kleiner geworden. Das erleichterte uns. Es war schön, sich von nun an nur noch um sich selbst kümmern zu müssen. Wir wählten unser Studium und brauchten dazu in keine Partei einzutreten, uns in keiner Massenorganisation zu engagieren. Selbst am 1. Mai konnten wir ausschlafen. Nikaragua, Kuba und Angola waren zu Ländern wie alle anderen geworden, und lediglich als Nelson Mandela Präsident wurde und in allen Kneipen die Musik des Buena Vista Social Club lief, wurden wir kurz wie an alte Schulfreunde erinnert, von denen wir schon seit Jahren nichts mehr gehört hatten.

Dennoch hatten wir in den neunziger Jahren, auch ohne politisches Engagement und Antikriegsdemonstrationen, viel zu tun. Für uns begannen die langen Jahre der Anpassung, in denen wir vorsichtiger wurden, weniger kritisierten und fast gar nicht mehr provozierten. Wir schauten uns die neue Bundesrepublik genau an, dachten häufig über uns nach und grübelten nach Wegen, wie wir am wenigsten auffallen und trotzdem am weitesten kommen könnten. Ganz unverhofft sozusagen wollten wir eines Tages auftauchen, unseren Pass hochhalten, in denen man Geburtsorte wie Cottbus, Sonneberg oder Wismar würde lesen können, und alle anderen in Staunen versetzen, dass wir es mit einem so gravierenden Schönheitsfehler gleichwohl geschafft hatten.

Bis dahin lag eine Menge Arbeit vor uns. Wir wussten von allem zu wenig, bemerkten, wie viel wir nicht verstanden und was wir noch zu lernen hatten. Zum Beispiel dauerte es lange, bis ich begriff, warum meine Freunde aus Bonn oder Passau immer zusammenzuckten und über ihr Gesicht ein Funke von Angst lief, wenn ich sie fragte, was ihre Eltern eigentlich machten. Wie nebenbei ließ so eine Frage sich nie stellen, und stets holte mein Gegenüber erst einmal tief Luft, lachte verunsichert und fragte ein bisschen aggressiv zurück, was ich mit dieser Frage denn nun wieder bezweckte. Wenn ich nicht sofort klein beigab, erhielt ich verschwommene Antworten, in die ich alles hineindeuten konnte. Oder ich wurde mit einem Satz ruhig gestellt wie: «Ich bin der Sohn meines Vaters, und der war nicht nichts.»

Offensichtlich konnte keiner eine präzise Antwort geben. «Ich komme aus kleinen Verhältnissen und habe mir alles selbst aufgebaut» stand auf der Bestenliste der Möglichkeiten auch sehr weit oben. In solchen Momenten musste ich wieder an unsere Assis denken, die in den SERO-Annahmestellen die Flaschen entgegengenommen und nach Größe und Farbe sortiert hatten, oder an die Assikinder in den Lernpatenschaften. Aber so sahen die, die sich da alles selbst aufgebaut haben wollten, nun auch wieder nicht aus.

Mädchen, die in der Schule Leistungskurs Französisch belegt hatten und in deren Handtaschen man immer ein großbürgerliches Chaos aus Lippenstiften, Pillenpackungen, Führerschein, Parfümflaschen, leeren Zigarettenschachteln und Kondomen fand, distanzierten sich am liebsten von jedem Hauch der Gewöhnlichkeit mit dem Satz: «Und stell dir mich Tochter aus gutem Hause dabei vor.» So etwas beeindruckte mich unglaublich, und ich hatte sofort Mühe, dem weiteren Gespräch zu folgen. Immer und immer wieder tanzte der Satz vor meinen Augen hin und her und vor lauter Aufregung fielen mir gar keine Bilder dazu ein. War Jenny Marx auch ein Kind aus gutem Hause gewesen, fragte ich mich im Stillen und überlegte noch kurz, ob sie Katharina Witt meinen könnten. Als ich dann junge Frauen sah, die sich in überfüllten Seminarräumen nicht auf den Boden setzen wollten, die bei dem Wort Schlafsack verächtlich den Mund verzogen und die ständig ihre Freundinnen davor warnten, sich bloß keinen farbigen Twingo zu kaufen, wusste ich, wovon sie gesprochen hatten. Ihre Freunde, die sie mit sechsundzwanzig Jahren heiraten würden, hatten alle so einen aristokratischen Background, wie sie das nannten, ein Pferd und einen klappernden Golf. Manchmal wollten diese Jungs witzig zu mir sein, wollten Mauern im Kopf einreißen und fragten interessiert, wie das Leben denn jetzt für mich sei, wo ich doch früher nur unter Proletariern gelebt hätte. Mir fiel keine Antwort ein. Ich musste an ihre Väter denken und war mir sicher, dass sie bestimmt genauso aussahen wie die, die wir früher nicht ansprechen und fragen durften, ob sie etwas von ihrer Schokolade abgeben würden.

Bei uns war die Sache einfacher und damit komplizierter. Ich konnte mir lange keinen Reim auf dieses geheimnisvolle Gerede in Andeutungen machen. Ich verstand es einfach nicht. Die DDR war ein proletarischer Staat gewesen. Viele unserer Eltern waren Berufen nachgegangen, die es heute nicht mehr gab, und hatten Dinge produziert, die heute in Europa niemand mehr produzierte. Was wir uns nach der Wende nicht selber besorgt, angeguckt, gelesen oder beschafft hatten, das kannten wir nicht, und was wir nicht selber checkten, das brachte uns keiner bei. Es bedeutete für unser Leben so gut wie nichts, ob wir Kinder von Lehrern, Fotografen, Eisenbahnern, Betriebsdirektoren oder Bäckersfrauen waren. Die Eltern der einen wie der anderen kannten sich in unserer Welt nicht mehr aus. Hauptsache also, wir taten weiterhin, was von uns verlangt wurde, oder wir taten, wovon sie meinten, es werde von uns verlangt.

Nie wären wir auf die Idee gekommen, dass es für uns von Belang sein könnte, was unsere Eltern waren. Bücher standen früher in jeder Wohnung rum, Platten auch, und gab es mal ein Rockkonzert, dann versuchten sogar Leute Karten zu bekommen, die die Band bislang nur vom Namen kannten. Mit der Klasse gingen wir dreimal im Jahr ins Theater, ins Museum öfter, und konnte man seine Hand nicht heben, wenn die Lehrerin fragte, ob man sich noch regelmäßig in der Stadtbezirks-

bibliothek Bücher ausleihe, dann passierte einem das kaum ein zweites Mal.

Zeigten unsere Eltern auf die Nachbarn, weil die einen Wohnwagen besaßen, mit dem sie jeden Sommer nach Ungarn fuhren, oder weil sie ein Haus an der Ostsee hatten,

**Veranstaltungshinweise:**
1. Das Mitbringen von alkoholischen Getränken ist untersagt und zieht den entschädigungslosen Einzug nach sich. Personen im angetrunkenen Zustand wird der Zutritt zur Veranstaltung verwehrt.
2. Das Rauchen und der Umgang mit offenem Feuer muß im Interesse der Sicherheit aller Teilnehmer der Veranstaltung unterbleiben. Das Mitbringen pyrotechnischer Erzeugnisse ist untersagt.
3. Fotografieren ist verboten.

III-18-391 LpG 539-89

dann wurde uns erklärt, dass die entweder geerbt, geschoben, kollaboriert oder einfach zu viele Westverwandte hatten. Unser Neid hielt sich trotzdem in Grenzen. Wir freuten uns auf das Ferienlager. Da kannten wir alle aus den letzten Durchgängen und fanden das Leben trotz Exkursionen, Fahnenappell, Zwanzig-Mann-Zimmern und vierzehn Tagen Kamillentee immer ziemlich aufregend. Der einzige Klassenunterschied, der für uns existierte, war das Westpaket. Nur das konnte wirklich zwischen uns liegen. Richtiger Sozialneid überkam uns klassenlose Kinder nur dann, wenn die anderen bunte T-Shirts, Jeans oder adidas-Schuhe mit Klettverschluss trugen.

Wir sind in unserem Herzen klassenlose Kinder geblieben. Wir glauben von der neuen Bundesrepublik noch immer, was wir bereits von der alten gedacht haben: Wenn man sich in diesem Land nur richtig anstrengt, steht einem hier alles offen, und mit Talent und Ehrgeiz kommt jeder ans Ziel. Sage ich so etwas allerdings zu laut, lachen meine westdeutschen Freunde mich aus, nennen mich naiv und beginnen, in ihrem Freundeskreis nach Beispielen zu suchen, die zeigen sollen, dass in vielen Fällen schon immer klar war, aus wem etwas werden würde und aus wem nicht.

Dennoch beneiden sie uns um die Naivität, mit der wir über Klassenunterschiede hinwegsehen und es einfach nicht kapieren, wenn sie vor einem Treffen mit einer Tochter oder einem Sohn aus gutem Hause etwas angespannt sind und noch ein paar Mal nachfragen, ob die Klamotten heute so okay seien. Ich überlege, ob man das jetzt mit Karl Eduard von Schnitzler vergleichen könne oder solle, aber dann fällt mir ein, dass für Franziska van Almsick das *van* in ihrem Namen so ein richtiger Glücksbringer auch nie gewesen ist.

Wir sind nicht bei Oma aufgewach[t]
sondern beim Staat. Den Rest des [?]
blieb man bei Mutti. Die Vatis tauc[hten]
zum Abendbrot auf. Manchmal, sonnabe[nds]
wenn es am Auto nicht viel herumzuschra[uben]
gab und sie nicht zu irgendwel[chen]
Besorgungen unterwegs waren, reparie[rten]
sie Matchbox-Autos, bauten einen Dra[chen]
oder nahmen uns mit zur Kegelbahn[.]
Mutti dagegen gingen wir zum Arz[t]
begleitete uns zu den Wandertagen un[d]
zum Einschlafen Geschichten vor. Sch[wim]
men, Gleitschuh, Rollschuh und Fah[rrad]
fahren haben wir von ihr gelernt,[]
stolz waren wir, wenn wir es []
vorführen dur[ften]

22.4.1977.

Am 22. April feiern
wir Lenins 107. Geburts-
tag. Er kämpfte für ein
ein besseres Leben der rus-
sischen Arbeiter und Bauern.

Am 25. Mai 1919 auf dem Roten Platz in Moskau. Lenin
begrüßt die Werktätigen, die angetreten sind, die Revolution zu verteidigen

Haben wir in den frühen Neunzigern noch wahrheitsgetreu geantwortet, womit unsere Eltern ihr Geld verdienten, so taten wir das später immer seltener. Nicht nur, weil unsere Eltern heute, nach der Wende, ihr Geld fast ausnahmslos anders als zuvor verdienen, sondern auch, um uns den westdeutschen Verschleierungstaktiken anzupassen: Wir kamen jetzt aus dem selbständigen Mittelstand, entstammten kleinen Verhältnissen, unsere Eltern arbeiten in der Chemie, der Baustoffproduktion oder im Einzelhandel. Noch immer aber lässt sich daraus für uns nicht viel ableiten, noch immer wissen wir nicht, was es bedeutet, wenn unsere Väter früher Direktoren, Richter, Lehrer und Dreher waren, heute jedoch arbeitslos, in Frührente, in Umschulungsmaßnahmen oder in neuen Berufen sind. Entstammte man nun der Klasse des überflüssig gewordenen Industrieproletariats, der niedergegangenen Adelsnomenklatura, der Intelligenzija, den Apparatschiks, oder war man am Ende zumindest ansatzweise aufgeklärt bürgerlich? Unser Klassenbewusstsein, das wir als Säule unserer Erziehung gelobt hatten, half uns hier jedenfalls nicht weiter.

So wie uns auch aus unserer alten Erziehung fast nichts mehr weiterbrachte. Wenige von den Dingen, die wir gelobt hatten, waren übrig geblieben. Das Märchen vom höheren Gemeinschaftsgefühl im Osten, das uns immer untergeschoben wurde und das wir uns selbst immer unterschoben, glaubten wir längst nicht mehr. Natürlich sollten unsere Freunde vorher anrufen, wenn sie vorbeikommen wollten, und sich nicht unangemeldet vor die Tür stellen und klingeln. Das verletzte unseren privaten Raum. Genauso nervte es uns, wenn unsere Wohnung an mehreren Abenden hintereinander von Menschen belagert wurde; spätestens am vierten Abend brauchten wir wieder unsere Ruhe.

Unsere Umwelt schützen wir so gut oder schlecht wie jeder andere. Wir trennen den Hausmüll, drehen die Heizung ab, wenn wir das Fenster öffnen, und lassen den Wasserhahn nicht zu lange laufen; Mineralwasser allerdings kaufen wir in Einwegflaschen, Pfandflaschen wiederum werfen wir in Flaschencontainer, und Fernsehberichte von Castor-Demonstranten gehen uns auf die Nerven. Von jugendlichen Tierschützern oder Kernkraftgegnern lassen wir uns auf der Straße nicht ansprechen: Da setzen wir ein gehetztes Gesicht auf und murmeln etwas von keine Zeit. Ab und zu kaufen wir Straßenverkäufern eine Obdachlosenzeitung ab, und musizierenden Russen in der S-Bahn geben wir aus alter Verbundenheit schon mal 'ne Mark.

Wir nehmen nicht mehr bei jeder Gelegenheit die Hände aus der Tasche. Wir lassen sie einfach stecken. Wir ziehen Leine. Das geht uns alles nichts mehr an. Die Fragen in unserem neuen Buch vom Sinn des Lebens heißen jetzt: Wer bin ich? Was will ich? Wer nützt mir? Wen brauche ich? Es hat für uns etwas Beruhigendes, dass all die Menschen, die uns früher gesagt haben, wo wir gebraucht würden und worum wir uns kümmern sollten, dass all diese Menschen nicht mehr da sind. Wir geloben nichts mehr, packen nirgends mehr an und können uns in aller Ruhe um uns selber kümmern.

Es bleibt nur eine Sache, über die wir uns weder vor noch nach dem Fall der Mauer Gedanken gemacht haben: Im Geschichtsunterricht unserer Kindheit waren wir Antifaschisten. Unsere Großeltern, unsere Eltern, die Nachbarn – alle waren Antifaschisten. Und es war ein großes Fest, wenn der Arbeiterveteran des Stadtbezirkes zum Schulappell vorbeikam, herzliche Grüße von den Arbeiterveteranen der Welt übermittelte und dem Ganzen einen gewissen Glamour verlieh. In den Pionierzeitungen erzählten Fortsetzungsgeschichten aus dem Leben Teddys und anderer Arbeiterfunktionäre. Sooft ich mir als Kind den Zweiten Weltkrieg vorstellte, waren deshalb alle irgendwie Mitglieder der Weißen Rose oder trafen sich konspirativ in Hinterhöfen und Kellern, um den Widerstand zu organisieren und Flugblätter zu drucken. Der Krieg hatte in unserem Land nicht stattgefunden. Die Welt um mich herum hatte im Jahr 1945 begonnen. Vorher, so schien es, war nicht viel passiert.

Das änderte sich für mich erst, als ich vor einiger Zeit Moritz kennen lernte. Moritz war ein Freund von Jan, und einmal fuhren wir alle zum Sommersitz von Jans Großeltern in die Eifel. Sommersitz fand ich ein komisches Wort. Bürgerlich. Aber Jan sprach es so selbstverständlich aus, fast wie ein Kinderwort, dass ich nicht länger darüber nachdachte. Schon kurz hinter Köln, auf der Autobahn, gab es eine laute Diskussion, als Jan, der eigenen Aussagen zufolge «aus kleinen Verhältnissen» stammte, uns anderen vorschwärmte, wie sehr seine Großmutter es geliebt habe, auf dem Sommersitz Hörspiele zu hören und Bücher der SWR-Bestenliste zu lesen. Ich saß still auf dem Rücksitz, die anderen diskutierten. Ich kannte das schon. Auch hier schien «kleine Verhältnisse» ein dehnbarer Begriff zu sein.

Der Sommersitz war, wie sich kurz darauf zeigte, eine Sommerwohnung, aber weil die Stimmung in den Autos sehr ausgelassen gewesen war, störte das niemanden. Wir staunten nicht schlecht, wie groß die Wohnung war. Das Beste war daran ein langer Tisch aus Holz, der in der guten Stube direkt vor großen Fenstern stand, die auf den Garten hinausgingen. Ohne Mühe fanden alle hier Platz, um jeden Abend zu kochen, viel Wein zu trinken und über Gott und die Welt zu reden, um Geschichten vorzulesen oder Brettspiele zu spielen. Hauptsache, wir verließen den Tisch nicht! Beim Essen saß Moritz immer neben mir. Manchmal betrachtete ich ihn dann im Profil, und wenn ich meine Augen rechts an ihm vorbeigleiten ließ, fiel mein Blick auf ein Porträt von Jans Großvater über der Anrichte, der, was ich außerhalb von Museen noch nie gesehen hatte, den gleichen Schnauzer wie Adolf Hitler trug. Mich amüsierte es, das Bild im Vorbeigehen unbemerkt herumzudrehen. Doch nie dauerte es länger als eine halbe Stunde, bis Jan es wieder richtig aufgestellt hatte.

Moritz liebte es, im Mittelpunkt zu stehen, und ich bewunderte ihn dafür. Aber nur einmal erklomm er das Treppchen der Aufmerksamkeit leise und fast unbemerkt. Draußen war es bereits dunkel, Jans Bruder hatte Kerzen in die Fenster gestellt, auf dem Tisch lagen Käsereste vom Dessert. Unter meinem Stuhl sammelten sich die leeren Weinflaschen, und ich weiß nicht mehr, wovon gesprochen worden war, als auf einmal nur noch Moritz redete. Niemand quatschte dazwischen, und auch meine Augen blieben auf Moritz' Gesicht liegen. Er erzählte, wie es war, als er erfahren habe, dass sein Großvater nicht nur Mitglied der NSDAP, sondern ein ranghoher, entscheidungsbefugter Amtsträger gewesen war, dass alle davon gewusst hätten, aber nur selten darüber gesprochen worden sei. Dass auch er keine Fragen gestellt habe, weder seinem Großvater noch seinem Vater. Dass die Sache einfach, wie so vieles, zur Familiengeschichte gehört habe.

Nach ein paar Minuten des Schweigens und stillen Rauchens begannen die anderen am Tisch, entsprechende Episoden aus ihren Familien zu erzählen. Oder von Leuten, von denen sie Ähnliches wussten oder gehört hatten. Nur ich blieb stumm: Kein Beispiel kam mir in den Sinn. Einfach nichts. Und dachte ich an meine Leipziger Freunde, an David, Sebastian, Judith oder Susanne, dann fiel mir auf, dass wir nie über solche

## John Scheer und Genossen

Erich Weinert deckt in diesem Gedicht aufs schärfste die Machen-
schaften der Faschisten auf. Dazu gehörte, daß die Faschisten
Arbeiter ermorden ließen, und hinterher erklärten: „Auf der
Flucht erschossen." Dieses Gedicht deckt speziell den Mord an
„John Scheer und Genossen" auf. Es wird die Standhaftigkeit und
Ruhe der Kommunisten kurz vor ihrem Tod eindrucksvoll geschildert.
Sie sind den Mördern moralisch überlegen. Die Faschisten, als sie
die Haltung der Kommunisten erkennen, geraten aus der Fassung.
Sie wissen nicht, wie sie diesem Mut, dieser Tapferkeit begegnen sollen
und unterdrücken ihre Ratlosigkeit mit unkontrolliertem Brüllen.
(„schmeißt die Bande 'raus") Die Arbeiter bleiben immer überlegen
und decken kurz vor dem eigenen Tod noch die Machenschaften
der Faschisten auf („Nicht wahr, .... so habt ihr es immer gemacht".
Die Menschenverachtung der Faschisten wird deutlich beim
Reden des Transportführers: „Geliefert 4 STÜCK" und sie zeigt
sich auch daran, daß die Faschisten, während Menschen auf
ihren Befehl umgebracht werden, rauschende Feste feiern.
Aber Weinert sieht den Untergang dieses unmenschlichen Systems
schon damals voraus und besteht auf die Bestrafung der
Verantwortlichen.

Pkt.   1                    Form : 1

Ihre 8 sehr gute Arbeit ist Spiegelbild Ihrer ständigen
Mitarbeit im Literaturunterricht und Ihres Interesses am
Fach. Weiter so !
       Oe.

Dinge gesprochen hatten. Wir wussten nicht, was unsere Großeltern gemacht, ob sie kollaboriert oder Widerstand geleistet hatten; wir wurden als Gegenwartsgeneration in einen Vergangenheitsstaat hineingeboren, der uns Fragen und unschöne Geschichten abgenommen hatte. Ich schaute mir die Leute am Tisch reihum an. Jedes Gesicht wollte ich mir merken, Frisuren, Augen und Nasen, *alles*, denn zum ersten Mal dachte ich, dass dies meine Geschichte ist. Meine Freunde wussten bereits, dass sie die Enkel des Dritten Reiches waren. Ich war eine von ihnen. Doch erst jetzt wusste ich es auch.

## 6. Die Welt als Alltag

Über Liebe und Freundschaft

Der 13. Dezember gehört nicht mehr zu meinen wichtigsten Tagen im Jahr. Er teilt meinen Kalender nicht länger in ein Vorher und Nachher, und trotzdem gerate ich morgens noch immer in eine ausgelassenere Stimmung. Ich überlege mir, was ich anziehen könnte, und finde Gefallen an der Idee, mit einem Kinobesuch dem Tag die ihm gebührende Ehre zuteil werden zu lassen. Als Kind überkam die Euphorie mich bereits am Vorabend. Ich hatte Mühe einzuschlafen. Immer wieder setzte ich mich im Bett auf, immer wieder überprüfte ich, ob die Pionierbluse und das Halstuch noch an ihrem Platz auf dem Stuhl gleich neben meinem Bett lagen. Der morgige Tag, das wusste ich aus den letzten Jahren, würde aufregend werden und meinen ganzen Einsatz fordern.

In kalter Morgenfrühe trafen wir uns im Klassenverband vor der kleinen Turnhalle. Dicht gedrängt an unsere Lehrer, warteten wir darauf, dass der Fahnenappell anlässlich unseres Ehrentages dort drinnen beginnen würde. Draußen war es zu kalt und unter den dicken Jacken hätte man die weißen Pionierblusen und unsere Halstücher nicht sehen können. Heute hatte die Pionierorganisation «Ernst Thälmann» Geburtstag, und für uns Kinder war diese Zimmervariante einer Schulhofparade eine große Herausforderung. Von überall her drangen einem Lehrerstimmen ans Ohr, die Schüler zur Ordnung riefen und einen zügigen Einmarsch forderten. In den Umkleidekabinen, in denen es immer nach Klo roch, sollten wir Geburtstagskinder uns heute nicht nur aus- und umziehen – wir durften auch an diesem Tag auf keinen Fall mit Straßenschuhen in die Halle –, sondern es sollte der gesamten Schule obendrein gelingen, bereits hier in diesen engen Räumen Aufstellung zum Glied zu nehmen und durch die beiden hinteren Türen, die wie Nadelöhre in die Halle führten, perfekt und im Takt der Fanfaren einzumarschieren. Was an unzähligen Nachmittagen geprobt und tausendmal durchgesprochen wurde: Es klappte nie. Denn irgendjemand hatte in der Aufregung garantiert seine Turnschuhe zu Hause vergessen, musste in Socken einmarschieren, glitt auf dem Parkett aus und riss mindestens zwei seiner Vordermänner mit zu Boden.

Nachdem die fleißigsten Schüler dann das Pionierabzeichen bekommen und man den Appell und ein paar nervöse Unterrichtsstunden hinter sich gebracht hatte, wurde die gesamte Schule wie für ein rauschendes Fest vorbereitet. Überall hängten die Lehrer und Hortnerinnen Girlanden auf, die normalerweise nur zu den Endausscheidungen der Mathematik- und Russischolympiade hervorgeholt wurden. Sie räumten die Klassenzimmer der ersten drei Etagen um, schoben die Bänke zusammen und brachten an den Türen Schilder an, die uns einluden, zu malen, zu basteln oder aus einem sowjetischen Samowar Tee zu trinken. Vor dem Aufgang zum vierten Stock allerdings hatten sie eine Bank quer auf die Treppen gestellt, und was nach Schutz vor einer gefährlichen, unbetretbaren Zone aussah, war für uns eine Pforte ins Paradies. Um vier Uhr wurde sie endlich geöffnet und führte uns zum wichtigsten Programmpunkt des Geburtstages: zur großen Pionierdisko in der Schulaula.

Bis dahin musste ich mich allerdings noch eine Weile gedulden, denn wenn auch schon kichernde Mädchengruppen wie Silvesterraketen durchs Haus schossen und die Jungs verschworen vor dem Schultor herumstanden, früher als Viertel nach vier durfte man dort oben auf keinen Fall erscheinen. Es sei denn, man hatte Lust, sich zu blamieren und mit den Kleinen aus der Zweiten und Dritten schon mal ein bisschen tanzen zu üben. Diese Zeit wusste ich sinnvoller zu nutzen. Ich verkroch mich mit einem Beutel unterm Arm, den ich unbemerkt, während die anderen gedankenverloren Weihnachtsgeschenke für Mutti und Vati bastelten, aus meinem Ranzen gezogen hatte, aufs Klo. An geheimem Ort und vor den Blicken der Hortnerinnen verborgen, musste es mir gelingen, einen Pulli so unter die Pionier-bluse zu schmuggeln, dass ich sie später beim Tanzen wie nebenbei öffnen und nach ein paar Liedern unbemerkt auf einen Stuhl am Rand deponieren konnte.

Das ganze Jahr hatte ich auf diese zwei, drei Stunden in der Aula gewartet; nun musste ich versuchen, mir meine Aufregung nicht anmerken zu lassen. Betont lässig setzte ich mich, was normalerweise verboten war, auf eine der Fensterbänke, baumelte mit den Beinen und hielt Ausschau nach Sascha. Sascha war der schönste Junge meiner Klasse. Er trug die Haare auf dem Kopf zum Igel geschnitten und fingerlang im Nacken, er hatte nicht die besten Zensuren und war obendrein ein begnadeter Fußballer. Dieser Junge sollte heute Abend mit mir vor den Augen aller Mädchen meiner eigenen wie auch der Parallelklasse tanzen, um unsere Liebe, die bisher geheim war und die wir noch niemandem, nicht einmal uns selbst, eingestanden hatten, öffentlich zu machen. Doch es kam, wie ich befürchtet hatte und es schon aus den letzten Jahren kannte: Weder an diesem noch an einem anderen Pioniergeburtstag hat Sascha mich je zum Tanzen aufgefordert. Jedes Mal zog er mit irgendeinem Mädchen aus der Parallelklasse ab, und ich konnte meine Pionierbluse nehmen, in den Ranzen knüllen und, meiner Liebe ganz allein gewiss, früher als geplant nach Hause gehen.

Ich habe Sascha all die letzten, langen Jahre der DDR geliebt wie keinen anderen und mich dabei von keinem Tiefschlag, derer es noch viele geben sollte, entmutigen lassen.

Bis Sascha plötzlich verschwunden war. Eines Tages erschien er nicht mehr in der Schule. Auch in der darauf folgenden Woche kam kein Lebenszeichen von ihm. Nachdem sonst immer alle gewusst hatten, was er machte oder wen er gerade zu lieben vorgab, bestätigte sich nun, sehr langsam allerdings nur, was ich als schlimmste Möglichkeit bereits gefürchtet hatte: Sascha war mit seiner Mutter in den Westen gegangen. Er hatte mich allein zurückgelassen. Von jetzt an würde es keine Pionierdisko mehr mit ihm geben; in Zukunft würde ich an den Abenden des 13. Dezember zu Hause bleiben und mich den Rest meines Lebens der Frage widmen können, ob ich es schlimmer fand, dass er mir nichts von seinen Reiseplänen erzählt hatte, oder ob es mir für immer das Herz brach, dass unsere Liebe noch vor ihrem Anfang ein so jähes Ende gefunden hatte. Doch Sascha schien es im Westen nicht anders zu gehen. Obwohl er jetzt so viele Überraschungseier und Hanutas und Milchschnitten und Knoppers essen konnte, wie er wollte, schrieb er mir schon nach vierzehn Tagen einen Brief, meinen ersten Liebesbrief mit Pelikanfüller, steckte noch ein paar Aufkleber dazu und wollte mich sehen. Schon in wenigen Wochen: auf dem Leipziger Marktplatz.

Die Geschichte dieses Treffens ist schnell erzählt. Denn obwohl ich in den Jahren meiner Liebe noch nie so lange und ausführlich mit Sascha gesprochen hatte – war ich enttäuscht. Er sah nicht mehr aus wie früher. Am ganzen Körper trug er Westklamotten, seine Haare waren modern geschnitten, er redete, was mich wirklich verblüffte, ziemlich westdeutsch, und er bewegte sich, so kam es mir vor, eigenartig.

Nachdem er mir dann endlich gestanden hatte, dass er all die Jahre nur in mich verliebt gewesen sei, es sich aber nie zu sagen getraut habe, nahm er meine Hand. Ich glaube, ich habe sie ihm noch willig überlassen. Schließlich wollte ich mal ausprobieren, wie das so war. Als er mich dann jedoch fragte, ob ich mit ihm gehen wolle, wurde es mir zu viel. Erstens fand ich diese schnöde Frage meinem jahrelangen Warten keineswegs angemessen, und zweitens: Wie stellte er sich das vor? Sollte ich mich in Zukunft sonnabends nach der Schule in den Zug setzen, zu irgendeinem Grenzübergang fahren, mit ihm ein bisschen an der Frontlinie spazieren gehen und vielleicht in einem Hotel übernachten, bevor ich dann am Sonntag wieder nach Hause fahren würde? Absurd. Aber das sagte ich meiner großen Liebe nicht mehr, sondern ging unter einem Vorwand ziemlich schnell nach Hause. Seine Briefe habe ich danach nicht mehr geöffnet, sondern sofort weggeschmissen. Und mit Liebe zu Westdeutschen, schwor ich mir, wollte ich in meinem Leben nie mehr etwas zu tun haben.

Ich habe mich als Kind immer nach der Ostsee gesehnt, und noch heute heißt meine Toskana eigentlich Mecklenburg. Nie würde ich die Strände von Fischland gegen die der Côte d'Azur eintauschen. Das Interhotel in Warnemünde gilt mir noch immer als einer der kostbarsten Orte der Welt, und auf der Seebrücke in Heringsdorf dem Sonnenuntergang entgegen aufs Meer zu laufen liebe ich mehr als vom Eiffelturm hinab auf die Seine zu blicken.

Wenn meine Eltern meine Schwester und mich fragten, welches Reiseziel wir uns für die großen Sommerferien wünschten, lautete die Antwort zu jeder Zeit – wie in Essensdingen der Wunsch nach Makkaroni mit Tomatensoße und Jagdwurst – unisono: an die Ostsee. Vater tat dann so, als hätte er das nicht gehört, und Mutter schaute uns Kinder in einer Mischung aus Verzweiflung und Resignation an. Sie wusste, dass es an ihr sein würde, die Bevollmächtigte vom FDGB wieder und wieder zu bequatschen und bei allen Schikanen freundlich zu bleiben, auch wenn sie schon ahnte, dass selbst das wenig helfen und sie in diesem Jahr, ebenso wie in früheren Jahren, wieder keinen Ferienplatz in Graal-Müritz oder auf Rügen ergattern würde. Geschweige denn einen Campingplatz in Zingst oder auf dem Darß.

Wenige von uns sind in ihrer Kindheit je an der Ostsee angekommen. Aber viele auf dem halben Weg dorthin irgendwo stecken geblieben, weshalb es mir manchmal so vorkommt, als seien wir all die Jahre nur zum

Meer unterwegs gewesen. Immer mit Verzöge-
rungen und den Beschwichtigungen der Eltern
im Ohr, eines Tages, vielleicht schon im nächsten Sommer, würden wir es endlich bis zu ihren Stränden schaffen. Ich badete in der Nähe
von Potsdam in der Havel und stellte mir vor,
sie fließe ins Meer. Einen Stausee in Thüringen
machte ich zu einem heimlichen Test für mich,
den ich, bevor ich die Ostsee sähe, erst beste-
hen musste, und in der Müritz, besonders an
Stellen, wo das gegenüberliegende Ufer nicht richtig zu
sehen war, schwamm ich beinahe zärtlich und so, als sei
sie ihre kleine Schwester.

Auch wenn einem Gerücht nach am Fuß des Baggersees tote Kühe liegen sollten und die Neubauten am Horizont den Blick in die Ferne verstellten, der Ostsee war man hier näher als irgendwo sonst.

Noch heute träume ich davon, im weißen Sand einen Hühnergott zu finden, ihn mir an einem Bindfaden
um den Hals zu hängen und durch das Loch im schwar-

121

zen Feuerstein meine Wünsche in Erfüllung gehen zu
sehen. Auch meine Stimme verändert sich noch immer,
wenn ich Freunden erzähle, dass ich Silvester auf Use-
dom oder den Sommer in Rügen verbringen werde, und
meine Augen sind heller, als wenn Barcelona oder New
York auf dem Reiseplan stehen würden. All das sind
käufliche Orte, und genauso wie ich Menschen von der
Küste wie Fabelwesen betrachte, glaube ich noch immer,
dass es bis zur Ostsee ein weiter, schwieriger Weg ist und
dass man nie sicher sein kann, wirklich anzukommen.
Nur dort fühlt man sich, so glaube ich fest, auserwählt
und wie an einem paradiesischen Ort, der mich glück-
licher macht als alles, was ich in den letzten zehn Jahren
zu sehen bekommen habe.

Unsere ersten westlichen Reiseziele dagegen waren ba-
nal und wurden weder nach historischer Bedeutung
noch nach landschaftlicher Schönheit ausgesucht. Bei
Bad Hersfeld, Hof, Goslar, Westberlin oder Lübeck war
lediglich entscheidend, welche Weststadt unserem Heimatort am nächsten lag. Komische Urlaubsreisen. Sie
alle begannen morgens in unsäglicher Frühe, an den
Grenzübergängen musste noch mit Stau gerechnet werden, sie alle dauerten nie länger als einen Tag und hatten
irgendeine Bank als Ziel, die Westgeld ausgab. Auf diesen Reisen, die jeder von uns zum Glück nur einmal ab-
solvieren musste, haben wir den Westen nicht von innen

gesehen und in der Regel mit keinem Menschen dort auch nur ein paar Worte gesprochen.

Doch die große Zeit des Reisens sollte bald beginnen. Kaum war ich wieder daheim, organisierten alle um uns herum in wildem Eifer Austauschprogramme. Der Westen sollte sich uns nun auch innerlich öffnen und unser Freund werden. Wir fuhren zum Schüleraustausch in Partnerstädte, sangen im Choraustausch mit Schwesterchören, beteten auf Gemeindetreffen mit Partnergemeinden, spielten Freundschaftsturniere gegen Freundschaftsvereine und diskutierten auf Studententreffen mit Bruderuniversitäten. Es waren wahre Bildungsreisen. Wir schliefen zum ersten Mal in westdeutschen Betten und durften uns zum ersten Mal mit westdeutschem Wasser waschen. Wenn wir Glück hatten, wurden wir von unseren Gasteltern mit dem Mercedes durch die Gegend gefahren, und beim Abendessen erklärte man uns die Erbsen und Möhren auf dem Teller.

Am Ende dieser staatlichen Kennenlernmaßnahmen gab es Jugendtourist nicht mehr, Austausche hießen nicht mehr Austausche, sondern Kursfahrten und führten statt nach Hannover oder Schweinfurt plötzlich nach Europa. Wahrscheinlich hatten meine Lehrer von ihren Kollegen alles gelernt, Freundschaften geknüpft und vom gegenseitigen Treffen und Verstehen ein wenig die Nase voll, sodass ich nun, dank irgendwelcher EG-Gelder, mit dem Lateinkurs nach Italien, mit dem Französischkurs nach Paris und den Englischlehrern nach London fahren durfte. Für alle, die an diesen kostenlosen Trips teilnehmen konnten, gab es als Dankeschön und weil viel zu viel Geld beantragt worden war, hinterher ein dickes Wörterbuch als Geschenk. Jetzt kannte ich den Tower, das Forum Romanum und die Champs-Élysées früher als viele meiner Landsleute und begann mich wie ein richtiger Europäer zu fühlen. Bald darauf fuhren die ersten meiner Freunde mit dem Interrail-Ticket bis nach Portugal oder Irland, schickten Postkarten von indischen Goa-Partys oder aus israelischen Kibbuzim und feierten rauschende Abschiedsfeste, um ein Jahr in den USA aufs College zu gehen.

Ich konnte nur staunen, dass wir uns darüber gar nicht mehr wunderten, sondern im Handumdrehen die ganze Welt wie selbstverständlich zu unserem Alltag erklärten. Nur manchmal, wenn ich bei französischen Austauschschülern, als wäre es nie anders gewesen, zu Abend aß, erinnerte ich mich daran, dass früher die Kinder aus diesem Land – ihre Eltern waren Kommunisten – in den gemeinsamen Ferienlagern in der DDR bessere Unterkünfte bekommen hatten als wir und dass wir die ganzen drei Wochen über nicht mit ihnen sprechen durften. Auf den Schultern der anderen habe ich sie durchs Klofenster wie Außerirdische beobachtet und ihnen beim Tischtennis verzweifelte Liebesbotschaften zugeworfen, von denen ich wusste, dass sie ihre Adressaten nie erreichen würden. Später dann, wenn alle schlie-

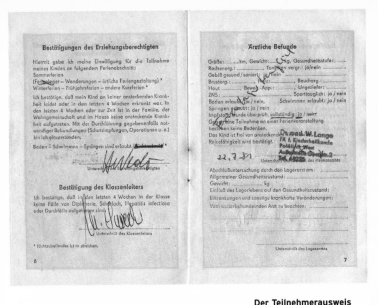

fen, lag ich in meinem Ferienlagerbett und versuchte, mir Paris vorzustellen. Ich träumte von bunten französischen Turnschuhen und Jogginganzügen und zwang mich gegen Mitternacht, wieder an Pawel, Agnieska oder Leschek zu denken, die es ja

> Der Teilnehmerausweis für das Ferienlager ist das vielleicht wichtigste Dokument unserer Kindheit, denn Hauptsache, man war lagertauglich!

auch noch gab und mit denen wir am nächsten Abend eine Nachtwanderung machen würden. Junge Holländer, mit denen ich später durch die Grachten lief, wollten mir nicht glauben, dass ich ihnen als Kind am Balaton bis ans Zelt gefolgt war, ihren Gesprächen gelauscht und ihre Gesten einstudiert hatte. Und mir nichts sehnlicher gewünscht hatte, als dass ich mich eines Tages, wenn ich älter wäre, in jemanden verlieben würde, der genauso modisch aussah wie sie. Und im selben Augenblick traurig geworden war, weil ich wusste, dass das für mich nie infrage kommen würde.

Nachdem diese schönen modischen Menschen plötzlich in unserer Nähe aufgetaucht waren, dauerte es noch ein paar Jahre, bis der Kalte Krieg in meinem Kopf vorüber war und ich auf die Idee kam, wir könnten uns tatsächlich in sie verlieben. Die Vorstellung, dass der kleine Junge, der von seinem Großvater ein Werthers Echtes bekommen hatte und heute noch ganz genau wusste, wie er das glitzernde, goldene Bonbon zum ersten Mal ausgewickelt hatte, nun hier im Osten Kommunikationswissenschaften studieren wollte, erschreckte mich und ließ die sozialistische Aufklärung ihre Wirkung erst so richtig entfalten. Sollten von dort, wo man unter kapitalistischen Ausbeutungsverhältnissen groß wurde, wo es um nichts als den Genuss materieller Güter ging und es nie erklärtes Ziel war, den Weltfrieden zu sichern und den Hunger in Afrika zu bekämpfen, wirklich nette Menschen herkommen, in die ich mich, wenn alles gut ging, sogar verlieben konnte? Ich wusste zwar von euphorischen Vereinigungspartys älterer Freunde in besetzten Häusern, bei denen beide Seiten ganz wild darauf waren, sich so richtig kennen zu lernen, und man sogar aus Baden-Württemberg anreiste, ansonsten aber traute ich den Wohlstandskindern wirkliche Gefühle,

Intensität, großes Leiden nicht zu und hielt alle entsprechenden Bekundungen für eine weitere Attitüde ihrer Sorglosigkeit.

So würde ich mich nie in sie verlieben, und auch wenn die Illustrierten gern große Titelgeschichten über die ersten Mischehen und, bald darauf, über die ersten Mischscheidungen veröffentlichten, gingen mir meine westdeutschen Altersgenossen einfach bloß auf die Nerven. Oder vielleicht wollte ich, dass sie mir auf die Nerven gingen. Besonders, wenn sie die Seminardiskussionen mal wieder unter sich bestritten, auf jede blöde Frage eine blöde Antwort geben zu müssen glaubten und unsere eingeschüchterten Ostprofessoren, sooft einer von uns den Mund aufmachte und nicht Dialekt sprach, sofort annahmen, man käme auch von da. In der Pause standen sie vor der Mensa herum, warben für den StuRa – der Osten musste schließlich aufgeklärt werden – und riefen den Vorübereilenden zu, sie sollten mehr Engagement zeigen, sich politisch einmischen, ihren Gleichmut, ihre Stumpfsinnigkeit ablegen. Ich beschleunigte meinen Schritt und schaute betont desinteressiert, sobald sie mir eines ihrer kopierten Faltblätter in die Hand drücken wollten. Kurz vorher hatte ich sie im Café am Nachbartisch noch belauscht, wie sie sich gegenseitig Lebensmut zusprachen: Ein Psychologe hatte einer von ihnen geraten, sie solle sich zukünftig entschiedener über die eigenen Standpunkte klar werden, diese zielstrebiger verfolgen und sich vor allem weniger über die Ansprüche ihrer Mitmenschen den Kopf zerbrechen.

Insgeheim wünschte ich meinen Tischnachbarn in solchen Momenten und schaute dabei teilnahmsvoll zu ihnen hinüber, sie könnten die Leere ihrer Kindheit und ihres jugendlichen Lebens zwischen Einschulung, Konfirmation und Führerschein mit irgendetwas füllen, und begann erst viel später, einige Vereinigungsjahre waren schon ins Land gegangen – tonnenweise hatte ich mir inzwischen großmütig ihre Faltblätter zustecken lassen –, die Prägungen ihrer postmodern langweiligen und letztlich ereignislosen Kindheit zu schätzen. Ja, ich begann sogar, die Geschichten aus ihrer Welt zu mögen, in der es keinen Feind gab, zwischen Gut und Böse nicht zu unterscheiden war und in der man über die private Biographie und Beckers Wimbledon-Sieg hinaus keine markanten Daten kannte.

Heute verlieben wir uns alle und so, als sei es nie anders gewesen, ganz selbstverständlich in Männer aus Krefeld oder Wiesbaden, und nur unsere Eltern finden daran etwas Eigenartiges und fragen ein zweites Mal nach. Ich überlege nicht mehr, ob sie auf der richtigen Seite der Barrikade standen. Meine ehemaligen Klassenkameraden küssen Frauen aus Westberlin oder vom Bodensee, und für sie ist es dabei zweitrangig, ob diese Frauen sich wie Clara Zetkin oder Walentina Tereschkowa für die gerechte Sache eingesetzt haben. Wir finden sogar Gefallen daran, ihnen nachts vor dem Einschlafen von unserer Zeit bei den Jungen Pionieren zu berichten, ihnen im Bett zu gestehen, dass wir in unserem ersten Leben Wandzeitungsredakteur, Sportkader oder Milchgeldkassierer gewesen sind. Die Vorstellung, wie wir beim Fahneneid in einer Reihe den Kopf in den Himmel reckten oder im Wald Partisanenkämpfe kämpften, bringt sie zum Lachen. Sie sind dann stolz auf unsere politisch aktive Zeit und beginnen, so wenigstens kommt es uns vor, mit ihrem Engagement in der katholischen Jugendarbeit zu prahlen oder uns etwas über Infostände auf Fußballfeldern von Ortsvereinen der Christlich Demokratischen Union zu erzählen.

Aber wenn ich verliebt bin, will ich glauben, dass meine Geliebten all die Jahre eigentlich nur in der Parallelklasse gewesen und ich ihnen auf dem Schulhof einfach nie begegnet bin. Ich wünsche mir, dass meine Fahnenappelle nichts anderes waren als ihre Gottesdienste, dass sie, wenn ich Altpapier sammeln ging, eben die Alufolie ihres Pausenbrotes sauber zusammenfalteten und wieder verwendeten. Fuhren meine Klassenkameraden in die Pionierrepublik an den Werbellinsee oder auf die Krim, dann waren ihre halt Au-pair in Bordeaux, und wenn ich Mitschüler um ihre Westklamotten beneidete, dann hatten ihre Konkurrenten einen großen Garten, ein Sommerhaus am Starnberger See, und die Mutter fuhr einen Golf. Eng aneinander liegend, wünschen wir uns, wir wären gleich, geben uns einen Ruck und haben keine Lust mehr, zehn Jahre nach dem Fall der

Mauer noch immer Ost-West-Diskussionen zu führen. Weder abends im Bett noch morgens am Frühstückstisch nehmen wir für das Kommunistische Manifest einen Streit in Kauf oder setzen unsere Liebe aufs Spiel.

Silvia wohnt in meinem Haus, und manchmal, wenn ich sie auf der Treppe oder am Briefkasten treffe, lädt sie mich für den Abend auf ein Glas Wein ein. Silvia ist zehn Jahre älter als ich, sie stammt ursprünglich aus Halle an der Saale, und ich mag sie wirklich gern. Ich habe nichts gegen ihre weinrot gestrichenen, anschließend mit einer Bürste verwischten Wände, ihren Sisalbodenbelag in allen Zimmern, nichts gegen das Gewürzregal überm Küchentisch und den Abreißkalender von Langenscheidt zum Spanischlernen auf dem Klo. Ich mag auch ihren Freund Hartmut, einen Sauerländer und Angestellten des städtischen Umweltamtes, der über seiner schwarzen Levis stets ein graues, verwaschenes Sakko trägt und sich mit den Bewegungen der Zugvögel beschäftigt, sie speziell am Prenzlauer Berg untersucht und darüber ausschweifend und faszinierend erzählen kann. Leider kommt es allzu häufig vor, dass beide aus Seitenarmen einer Diskussion heraus plötzlich über die Ideale des Kommunismus, die Vorteile der sozialen Marktwirtschaft und die Auswirkungen der Globalisierung auf den osteuropäischen Arbeitsmarkt zu streiten beginnen und sich dabei, eine selbst gedrehte Zigarette nach der

anderen rauchend, Unterstellungen und Vorurteile zu-
werfen. Verunsichert über die Höhe der Einsätze, wende
ich mich dann meist dem Gewürzregal zu, nehme die
erlesenen Stücke darin ein bisschen genauer unter die
Lupe und ärgere mich, dass ich die Post nicht ein paar
Minuten später holen konnte. In solchen Diskussionen,
das habe ich oft genug erlebt, reden sich alle Beteiligten
um Kopf und Kragen.

Die Liste der Verdächtigungen, die Silvia und Hartmut austauschen, ist lang, die Argumente sind nicht
neu. Nachdem Hartmut sich, scheinbar gelassen, die
Meinung seiner Geliebten aus dem Osten angehört hat,
bricht es aus ihm heraus: dass es schließlich die ostdeutsche Wirtschaft gewesen sei, die am Boden gelegen habe,
ohne Rettungsmodelle und plausible Veränderungsvor-
schläge, und dass er jetzt gern, ja, das interessiere ihn
wirklich, wissen würde, wie sie sich eine Alternative zur
Wirtschafts- und Währungsunion vorgestellt hätte, bitte
schön. Schließlich sei es doch ihr eigenes Volk von Da-
hergelaufenen gewesen, das in Windeseile bundesrepublikanische Fahnen geschwenkt und Helmut Kohl auf
eine Weise zugejubelt habe, die jeden normalen Menschen in Westdeutschland zum Kotzen gebracht habe.
Spätestens jetzt muss Silvia ihm natürlich ins Wort fallen, muss um Verständnis, um Aufmerksamkeit und be-
sonnenes Zuhören werben, muss schnelles Verurteilen
verurteilen und sich am Ende, ihr Weinglas ist schon
eine ganze Weile leer geblieben, wünschen, der West-

deutsche würde nicht nur seinen eigenen Bauchnabel bestaunen und alle Dinge mit seinen Maßstäben messen, sondern ließe die Konfrontation langsam einer gewissen Einfühlung weichen. Überhaupt, das wollte sie schon immer mal gesagt haben: Jeder Stasifall müsse einzeln und gerecht beurteilt werden.

Ich halte mich aus solchen Diskussionen raus. Ich lese in aller Ruhe und Gelassenheit ein Informationsblatt des NABU und erfahre so, dass soeben ein Verbreitungsatlas europäischer Tagfalter erschienen ist. Interessant, dass zweihundert Arten oder 41 Prozent auf jeweils höchstens einem Prozent der Fläche Europas vorkommen, während nur zwanzig Tagfalter-Arten oder 4,1 Prozent auf rund einem Drittel des europäischen Kontinents zu Hause sind. Aha. Ein schöner Fund. Das wollte ich schon immer mal wissen. Die Diskussion geht auch ohne mich voran, aber wir Jüngeren lassen die Unterschiede Unterschiede sein. Wir wollen sie nicht vertuschen, aber irgendwie wollen wir sie auch nicht mehr besprechen. Mit Altersgenossen führen wir nie solche Diskussionen. Unsere Erinnerungen an die DDR haben spürbar nachgelassen. Es ist alles zu lange her. Wir waren einfach zu jung. Und oft schon vermischen sich in unseren Anekdoten über das Land, aus dem wir angeblich stammen, eigene Erlebnisse mit Gelesenem und Gehörtem. Wofür also sollten wir uns streiten?

Nur wenn Jungs, die sich politisch informiert geben, FAZ lesen, Anzüge tragen und eigentlich meine Freunde werden könnten, sich in irgendwelchen Bars in Mitte zu mir herüberbeugen und, mit leiser Stimme um Vertrauen werbend, erklären, es sei ja nicht so, dass sie sich nicht für die ehemalige DDR, wie sie unser Land nennen, interessierten, dann werde ich nervös. Sie hätten, sagen sie, schon nächtelang mit Freunden, ja, sie hatten durchaus Freunde, die seinerzeit in den fünf neuen Bundesländern geboren wurden, Erfahrungen ausgetauscht und über unterschiedliche und manchmal konträre Anschauungen diskutiert. Es sei erstaunlich, was da ans Tageslicht komme. Doch seien sie inzwischen zu der gemeinsamen Überzeugung gelangt, dass das Thema erschöpft, alte Kränkungen zu überwinden seien und dass die ganze Geschichte, mal ehrlich, nun wirklich niemanden mehr interessiere. Ich muss in solchen Momenten an Martin Walser denken und bin fast auf seiner Seite; er hat den Menschen wenigstens fünfzig Jahre Zeit gegeben. Ich atme kurz durch, nehme einen Schluck aus meinem Cocktail und bin zum Gehen bereit. Wie gesagt, auch mein Pulver ist in den Jahren nach dem Mauerfall nahezu ganz verschossen worden. Ich habe keine Lust mehr, den jungen Männern in ihren Anzügen zu erklären, dass genau so, wie wir sie in Ruhe lassen und ihre bundesrepublikanische Geschichte nicht für abgeschlossen, beendet oder unerheblich erklären, sie bitte auch uns in Ruhe unsere Biographie abschließen lassen sollen, falls wir sie denn abschließen wollen. Wie wir uns den neuen Reichstag anschauen und stolz durch die Glaskuppel laufen, so mögen wir eben auch das Russische Ehrenmal im Treptower Park. Aber bei diesen Gedanken habe ich die Bar längst verlassen, und die jungen Männer in ihren Anzügen haben andere gefunden.

## 7. Mach mit, mach's nach, mach's besser!

Über Körperkultur und Sport

Keiner von uns hat das Tor von Jürgen Sparwasser live gesehen. 1974 waren wir noch zu klein oder gar nicht auf der Welt. Wir kennen es nur vom Hörensagen und halten es eigentlich für eine Erfindung. Das ist das Trauma unserer Generation. Schon in den Achtzigern nahmen wir es unseren Eltern nicht mehr ab, dass die DDR überhaupt bei einer Fußballweltmeisterschaft teilnehmen durfte und dass ausgerechnet wir es gewesen sein sollten, die gegen die Bundesrepublik ein Tor geschossen hatten. Solange wir nämlich Pierre Litbarski, Lothar Matthäus und die anderen kannten, hatten sie nur gegen Italien und Argentinien verloren. Jürgen Sparwasser war eine Lüge. Und weil wir den letzten großen Triumph der DDR ein für alle Mal verpasst hatten, mussten wir fortan, also unser ganzes Leben lang, für die Bundesrepublik sein.

Wenn mein Sportlehrer von der Stimmung im Hamburger Volksparkstadion und von dieser wunderbaren 72. Minute schwärmte, die er natürlich nur aus dem Fernsehen kannte, gestand er uns immer erst kurz vor dem Pausenklingeln, dass es dem Westen trotz jener Niederlage am Ende gelungen war, Fußballweltmeister zu werden. Er schämte sich an dieser Stelle ein bisschen, und wir Kinder konnten aufatmen. Jetzt war wieder Sieger, wer immer Sieger war. Hier war die Geschichte in ihren Bahnen und unser Weltbild in Ordnung.

Während unserer Kindheit war die DDR auf dem Höhepunkt ihrer sportlichen Erfolge, und dennoch mangelte es uns jungen Staatsbürgern irgendwie an Gelegenheit, für unser Land zu sein. Die Olympiade in Moskau, an die sich ja nur noch die großen Brüder erinnern konnten, stand für uns im Nachhinein unter dem Verdacht der One-Man-Show. Niemand vermochte glaubhaft zu versichern, dass es eine große Kunst gewesen war, dort zu gewinnen, wo es keine Gegner gab. Umso freudiger fieberten wir vier Jahre später Los Angeles entgegen. Wie lange hatten wir auf diese Spiele gewartet! Endlich waren auch wir reif für Olympia. Wir konnten den Medaillenspiegel allein verfolgen und interpretieren, und als wir im Sommer zuvor in der Leichtathletik sogar den direkten Ländervergleich gegen Amerika gewonnen hatten, da wussten wir, 1984 würde unser großes Jahr. Aber dann kam die Sache mit dem Boykott dazwischen, und auch wenn wir gern glauben wollten, dass Amerika ein schlechtes Land sei und es für unsere Diplomaten im Trainingsanzug wegen der hohen Kriminalitätsrate in der Umgebung der deutschen Unterkünfte besser sei, zu Hause zu bleiben, war ich doch morgens um halb vier, auf dem Sofa in eine Decke gewickelt, todunglücklich, als Michael Groß ein ums andere Mal das Siegertreppchen bestieg. Die Nationalhymne der Gegner kannte ich am Ende jedenfalls besser als unsere eigene.

Als am Ende desselben Jahrzehnts die Boykotte von Seoul und Calgary standen, war unser Leben schon entschieden. Wir hatten längst zwei Gesichter und uns sicher zwischen den Stühlen eingerichtet. Wir fanden es nicht mehr seltsam, stets für den jeweils besseren Deutschen zu sein; Hauptsache, er gewann, egal woher er stammte. Siege gefielen uns. Und unser Herz schlug einmal für Jens Weißflog, Kristin Otto und Katarina Witt, das andere Mal für Steffi Graf und Boris Becker, je nachdem, wer in welcher Disziplin für Deutschland ins Rennen ging. Westklamotten trugen sie inzwischen sowieso alle. Erst als die alte Bundesrepublik 1990 abermals Fußballweltmeister wurde – unser Land war noch mit einer eigenen Mannschaft in die Qualifikation gegangen, jetzt dachten alle nur noch an die Wiedervereinigung – und Franz Beckenbauer der staatstragende Satz rausrutschte, dank der kräftigen Unterstützung der Ostspieler würden die Deutschen in den nächsten Jahren garantiert nicht mehr verlieren, fanden wir die Sache mit dem ewigen Gewinnen zwiespältig. Angeekelt vom Mob, der, so kam es uns vor, schon Großdeutschland vor

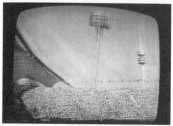

Zu den Olympischen Spielen 1972 kannten unsere Eltern die Welt nur aus dem Fernsehen und haben von ihr dann gleich Bilder gemacht.

sich sah, verließen wir unseren Platz vor dem Fernseher. Diesmal, bevor die Nationalhymne angestimmt wurde. Wir wussten damals noch nicht, dass mit dem Fall der Mauer ein paar Monate zuvor langsam das Jahrzehnt zu Ende gegangen war, das uns unser ganzes Leben als die Zeit in Erinnerung bleiben würde, in der wir immer auf der Siegerseite gestanden hatten. Wir mussten dazu nur beständig die Seiten wechseln und uns ebenso lange einen Sieger suchen, bis wir ihn gefunden hatten.

Zu Hause lief es nicht anders. Da gab es Millionen vom Staat bezahlte Sportfunktionäre, wie unsere Eltern die Trainer etwas verächtlich nannten, die nichts anderes zu tun hatten, als unsere voraussichtliche Beinlänge im Erwachsenenalter herauszubekommen, Muskelkraft festzustellen, Geschwindigkeiten zu stoppen und Belastbarkeiten zu messen. Für jeden von uns musste bereits im Knirpsenalter eine Sportart gefunden werden, für die man der Veranlagung wegen, wie es immer hieß, taugen und in der man viele Siege nach Hause bringen würde.

So haben wir alle noch heute in der hinteren Ecke der Schreibtischschublade oder auf dem Dachboden unserer Eltern einen Stapel Urkunden und ein Knäuel dazugehöriger Medaillen liegen. Auf den meist himmelblauen Stoffbändern, die an den Rändern regelmäßig ausfransten, stand in kleinen Abständen der Name unseres Landes in drei Buchstaben. Die Medaillen waren genauso leicht wie unser Geld und wahrscheinlich keinen Pfennig mehr wert. Aber das wusste ich damals noch nicht. In unseren Kinderzimmern am Kopfende des Bettes aufgehängt, erschienen sie mir unbezahlbar und gaben uns Abend für Abend vor dem Einschlafen das gute Gefühl, aufseiten der Sieger zu stehen, ja zu einer unüberschaubaren Menge anderer Sieger dazuzugehören. Und wirklich rechnen zu meinen Bekannten bis heute ein DDR-Meister im Boxen, ein Schwimm-Junioren-Europameister in der Staffel, ein Kinder-DDR-Meister im Judo, eine mehrmalige Olympiasiegerin im Segeln, ein Teilnehmer der Friedensfahrt, ein deutscher Vorkriegsmeister im Tennis, viele Bezirksmeister ihrer Disziplinen, unzählige Crosslauf- und Dutzende Spartakiade-Sieger.

Dafür kamen sie früh, uns zu suchen, die bösen Sportfunktionäre, von denen wir damals natürlich noch nicht ahnten, dass sie böse waren. Schon in der ersten Klasse tauchte in meiner Schule ein athletischer Mann auf, der, was mich unendlich beeindruckte, die Turnschuhe mit den drei Streifen an der Seite trug und sie sowohl auf dem Schulhof als auch in der Halle anbehalten durfte; eine Sache, die uns streng verboten war und die meine Mitschüler mit Westturnschuhen allgemein vor eine schwere Entscheidung stellte. Sportstunde für Sportstunde saß der athletische Mann still auf einer der langen Turnbänke und machte sich eifrig Notizen. Nur ab und zu verschwand er geheimnisvoll mit einem von uns im Vorbereitungszimmer des Lehrers, in das man normalerweise nur kam, wenn

man Klassenbuchdienst hatte oder das Magnesium für die Kletterstange verteilen durfte. Der Mann setzte sich an den Lehrertisch, bot mir den Stuhl dahinter an und begann, viele Fragen zu stellen. Er wollte wissen, was meine Eltern arbeiten, ob mir der Schulsport Spaß mache und ob ich nicht Lust habe, ihn einmal in seinem Trainingsstützpunkt zu besuchen. Manuela und Adriana trainierten auch dort, und mit denen sei ich doch befreundet. Alle zusammen würden wir dann in den Ferien ins Trainingslager fahren. Das mache großen Spaß und bringe eine gute Moral in die Truppe, auch wenn er nicht verhehlen wolle, worum es in der Hauptsache zu gehen habe: um Leistungen. Und die würde er in meinem Fall gern noch intensiver gefördert sehen. Schließlich schaffe der Staat ja, was alle freue, die nötigen Voraussetzungen dafür. Da seien wir doch einer Meinung, oder, Sportsfreund?

Der athletische Mann kam noch häufig, um mich zu besuchen, doch sosehr es mir schmeichelte, ihm ins Vorbereitungszimmer zu folgen, vor den Augen der Mitschüler war man so ungemein wichtig und den Turnschuhen mit den drei Streifen sehr nah, hatte ich doch von meinen Eltern streng aufgetragen bekommen, dem Mann nicht zuzustimmen und ihm vor allem nicht zu versprechen, im Trainingszentrum vorbeizuschauen. Ohne mir ein Wort zu sagen, hatten sie mich nämlich in einem Tennisverein angemeldet. Der weiße Sport, wie nun der athletische Mann verächtlich sagte, biete keine Aufstiegschancen. Zu großen Wettbewerben ins Ausland zu reisen könne ich mir auch aus dem Kopf schlagen. Das solle ich mir noch einmal genau überlegen. Aber da gab es nichts zu überlegen, die Sache war beschlossen.


Niemand hatte mir die List meiner Eltern erklärt, mich durch das Tennis dem harten Wettkampfsport zu entziehen, und so blieb mir nichts anderes übrig, als meine

Mitschüler bis über beide Ohren zu beneiden: wie sie, von den Sportlehrern bevorzugt, jeden Nachmittag in wichtige Leistungszentren gehen konnten, mit neuen Trainingsanzügen den Schulsport wie Blumen schmückten, ständig riesengroße Sporttaschen unter den Armen trugen und fortan nur noch «Kader» hießen. Da hätte ich auch gern dazugehört. Außerdem sah ich es als meinen persönlichen Pionierauftrag an, die Formel herauszubekommen, mit deren Hilfe die Sportfunktionäre schon jetzt ermittelten, dass all die Mädchen, die sie aussuchten, später tatsächlich viel größer und kräftiger wurden als wir, der ausgeschiedene Rest, breitere Schultern bekamen und aussahen wie Männer. Das wurmte mich. Mir fiel keine Lösung ein. Mein einziger Trost war die Akne, die diese Mädchen irgendwann heimsuchte und die man häufig bei Athletinnen im Fernsehen sah. Auf die konnte ich gern verzichten. So sahen richtige Sieger irgendwie auch nicht aus.

Mein Sport aber fristete ein klägliches Dasein, und die nächsten Jahre würde ich gezwungen sein, es mit ihm zu fristen: Tennis war ein Sommersport, und da es in der DDR keine einzige Tennishalle gab, spielten wir im Winter jeden Sonntagmorgen um acht – aber nur, wenn niemand, also wirklich niemand anderes trainieren wollte – in einer normalen Turnhalle auf Parkett. Die Netze borgten wir von den Volleyballspielern. Schlugen wir die Bälle an die Wand, fiel der Putz herunter. Mein Sport war bürgerlich verrucht und ein bisschen faschistoid dazu. Trainingslager, das war für uns ein Fremdwort, und wenn man nach Jahren harten Übens endlich seinen alten Holzschläger auf abenteuerlichen Wegen über Ungarn in einen Grafitschläger, wie man damals sagte, umtauschen konnte, wofür ganze Monatsgehälter des Vaters draufgingen, dann hatte man sich schon so tief in den ganzen Schlamassel hineinziehen lassen, dass es kaum noch einen Ausweg gab. Zumindest so lange nicht, bis ich mir während der DDR-Kindermeisterschaften in Cottbus eingestehen musste, dass die großen Siege andere erringen würden. Soeben war ich von Jana Kandarr in weniger als dreißig Minuten vom Platz gefegt worden – die Schiedsrichterin war auf ihrem Hochsitz beinahe eingeschlafen –, und ich musste mir, noch während wir uns übers Netz die Hände reichten und ich der Siegerin anständig gratulierte, Gedanken über meine Zeit nach dem aktiven Sport machen.

Jana Kandarr hat mich längst vergessen. Und nie hätte ich gedacht, dass ich ihr noch einmal im Leben begegnen würde, obwohl ich in den Zeitungen immer heimlich verfolgt habe, was sie gerade machte, wo sie gerade war. Deshalb wusste ich auch, dass sie, zum Glück fiel die Mauer recht bald nach dem Ende unserer DDR-Kindermeisterschaften, von Halle nach Karlsruhe zog, um dort in einem Alter, in dem Martina Hingis und Jennifer

Capriati bereits internationale Turniere auf der ganzen Welt gespielt hatten, doch noch in ein Trainingszentrum zu gehen, wo der Putz nicht von den Wänden fiel, und Tennisprofi zu werden. Ihr erklärtes Ziel, eines Tages unter die fünfzig besten Tennisspielerinnen der Welt zu kommen, sollte sie jedoch erst kurz nach unserer zweiten Begegnung erreichen.

Wir haben uns nach zwölf Jahren nicht in Cottbus wieder gesehen, sondern in Paris, bei den French Open, und natürlich habe ich sie nicht richtig getroffen. Sie lächelte mir aus den Seiten französischer Sportzeitschriften entgegen, und sofort fiel es mir leichter, mich an der Seine heimisch zu fühlen. Eine Nacht lang war sie der Star von Paris, und ich kannte sie! Denn Jana Kandarr hatte klar und in drei Sätzen Amélie Mauresmo aus dem Rennen geworfen. Genauer gesagt, eine unbekannte deutsche Qualifikantin hatte die an Nummer eins gesetzte, französische Favoritin der Franzosen bereits in der ersten Runde der französischen French Open geschlagen und einen Traum beendet, bevor die Grande Nation überhaupt mitbekommen hatte, dass sie ihn träumen sollte.

Dabei wäre alles so schön gewesen. Nachdem das ganze Land sich gerade in eine Amélie in ihrer fabelhaften Welt auf der Kinoleinwand verliebt hatte, sollten nun alle der Amélie auf dem Centre-Court ihr Herz schenken. Aber Jana Kandarr hatte ihnen einen Strich durch die Rechnung gemacht, und so konnte ich mich am nächsten Morgen stolz vor dem Schreibtisch meines Chefs, der hier Patron hieß und es liebte, allein und ohne die Hilfe einer Sekretärin seine Sportzeitung zu kaufen, mit der Concierge einen Schwatz zu halten und im Bistro gegenüber einen Espresso im Stehen zu trinken, ich konnte mich also vor seinem Schreibtisch aufbauen und ihm meine Geschichte von der DDR-Kindermeisterschaft in Cottbus erzählen. Natürlich habe ich ihm dabei verschwiegen, wie viele Minuten das Match gedauert hatte und dass Jana Kandarr mir haushoch überlegen war, doch so lange, wie er mir an diesem Morgen zuhörte, so lange hat er mir nie wieder zugehört. Und als ich kurze Zeit später in seiner Sportzeitung einen kleinen, schwarzen Kasten entdeckte, der in wenigen Sätzen die Geschichte und Bedingungen des Tennissports in der DDR beschrieb, da dachte ich nach langer Zeit wieder an das Vorbereitungszimmer meines Sportlehrers, den Putz an den Wänden und war plötzlich sehr stolz, zu denen gehört zu haben, die am Samstagmorgen in aller Frühe auf die kleine, gelbe Filzkugel eingeschlagen hatten.

Jana Kandarr hat es nicht geschafft, eine Integrationsfigur zu werden. Das wurden nur Henry Maske – der ja nicht zu unserer Generation gehört – und Franziska van Almsick. Während wir in den Achtzigern noch Sieger waren, kommt es mir heute so vor, als ob der Titel einer

Integrationsfigur das Höchste ist, was wir im Leben überhaupt erreichen können; Auge in Auge mit dem Alltag sind wir gezwungen einzusehen, dass es nur bis hierhin und keinen Schritt weiter geht. Hätte mich jemand gefragt, dann hätte ich mir allerdings Sebastian Deisler oder Martin Schmitt als Integrationsfiguren gewünscht. Gern wäre ich mit ihnen, jeweils zu zweit natürlich, an einem schönen sonnigen Sonntagnachmittag Kaffee trinken gegangen. Dann hätten sie mir von ihrer Kindheit erzählt. Ich hätte den Mund gehalten. Später hätte ich sie nach den für sie prägenden Erfahrungen der neunziger Jahre gefragt, und wenn sie mir dann, am Ende, wir wären vermutlich schon ziemlich kaffeebetrunken beinahe von den Stühlen gerutscht, die Wimpel ihres Sportvereins überreicht hätten – wozu wir uns selbstredend erhoben hätten –, dann hätten Sebastian Deisler und Martin Schmitt vielleicht das sehr schöne Gefühl gehabt, der Osten interessiere sich tatsächlich für den Westen. Ihm seien eben nicht bloß Randgruppenreportagen von Ruhrkindern, eventuell gedopten Marathonläufern oder brennenden Asylbewerberheimen geläufig, sondern er begreife auch, dass es für eine gesamtdeutsche Zukunft nicht zuletzt der westdeutschen Herkunft bedürfe. Und ich wiederum, ich hätte endlich einmal zwei Menschen aus dem Westen kennen gelernt.

Die einzigen Stars aus unserer Generation sind Sportler. Von Stefanie Hertel einmal abgesehen. Wir haben viel von ihnen gelernt. Dass es Michael Ballack als Karl-Marx-Städter einmal zum bestfrisierten Spieler der Bundesliga bringen würde, hätte vor ein paar Jahren noch niemand für möglich gehalten. Jan ‹Ulle› Ullrich hat uns den Weg nach Paris gezeigt und Stefan Kretzschmar geleitete uns zu MTV. Sven Hannawald, der *Flugsaurier*, bewies, dass man seine Herkunft nicht verstecken muss, sondern dass es gar nicht schlimm ist, wenn sie, natürlich nur in der Stunde des Sieges, wieder zum Vorschein kommt. Unser größtes Vorbild jedoch ist Franziska van Almsick. Franzi, die diesen Namen eigentlich nicht gern hat und von ihren Freunden lieber Franz genannt werden möchte. Franz also ist wie wir – obschon manche glauben, sie sei nicht so geblieben –, und obendrein ist sie, wie wir alle sein möchten. Sie darf ihren neuen Freund mit zu Thomas Gottschalk nehmen und ihn allen vorstellen, sie taucht mit ihrem Auto neben New Yorker Hochhäusern in die Erde, als wäre sie im Leben nie woanders gewesen, und sie ist dank einer kleinen, blau-weißen Florenadose einmal mehr zum Gesicht des Ostens geworden. Also zu unserem Gesicht. Auch wenn einige von uns gern ihr eigenes behalten, sind wir sehr stolz auf Franz, die jünger ist als viele und doch weiter gekommen ist als alle. Sie verlieh uns die Ehre, dass jemand aus unseren Reihen ein nationaler «Goldfisch», *das* Wunderkind der deutschen Einheit und der erste deutsch-deutsche Star sein durfte. Das war die Geburtsstunde unserer Generation. Franz ist unser Fahnenträger.

Während ich gerade erst lernte, dass die spanische Hauptstadt nicht Barcelona, sondern Madrid heißt, kam sie im Juli '92 von den Olympischen Spielen in Barcelona zurück und hatte zwei silberne und zwei bronzene Medaillen gewonnen. Nur einen Monat später ließ sie bei den Junioren-Europameisterschaften sechs Mal die Konkurrenz hinter sich, was heißen musste, dass sie in nahezu allen Disziplinen gewann. Drei Weltrekorde dann in Japan zu Beginn des Jahres 1993. Im selben Sommer fünffache deutsche Meisterin. Unser wiedervereinigtes Land hatte sein Maskottchen, und Franz war über Nacht wichtiger als Helmut Kohl, der Solidarpakt und die gesamte Fußballnationalmannschaft zusammen.

Auf dieses Mädchen hatten alle gewartet. 1978 in Ostberlin geboren, war sie mit sieben Jahren zwar noch die jüngste Leistungssportlerin im Berliner DDR-Trainingszentrum gewesen. Schon vier Jahre später aber war das Land, das begonnen hatte, sie auszubilden, ihr vor der Nase weggeschwommen, und ehe sie sich versah, war sie die Verkörperung des Neuen.

Zum Auftakt der Olympischen Spiele in Atlanta 1996 titelte die New York Times «Franzi von Germany». Aber da war das Neue fast schon wieder vorbei. Die Stimmung im Land sank; den Umfragen zufolge fühlten sich so viele Ostdeutsche als Menschen zweiter Klasse wie zuletzt im August 1992. Lange Zeit vor Franz also. Das Wunderkind der deutschen Einheit war zu den Games, wie die Sportmoderatoren jetzt sagten, noch mit großen Erwartungen und als Favoritin angereist, und ich weiß nicht, ob es auch diesmal an der hohen Kriminalitätsrate in der Umgebung ihrer Unterkünfte lag oder ob sie sich einfach nicht konzentrieren konnte, leider erfuhr man nichts darüber, außer dass Franz mit zwei enttäuschenden zweiten und einem dritten Platz zurück nach Hause kam. «Ich bin eben doch kein Wunderkind», erklärte die Millionärin den wartenden Journalisten, ihr Trainer rechtfertigte das Ganze mit dem Satz, er als Psychologe genüge vollauf für Franz, und die Politikwissenschaftler interpretierten die Umfragen und erzählten den zu Hause gebliebenen Deutschen, dass hohe Erwartungen stets auch ein großes Potenzial an Enttäuschungen bereithielten. Sie dachten dabei nicht an Franz.

Überhaupt war langsam niemand mehr da, der an sie dachte, und als sie 1996 zum ersten Mal nach vier Jahren nicht mehr zur Schwimmerin des Jahres gewählt wurde, obwohl sie zwischendurch auch Sportlerin und zweimal sogar Weltsportlerin des Jahres war, kam für sie sozusagen das Nichts. Vergessen waren spektakuläre Auftritte wie 1994 bei den Weltmeisterschaften in Rom, als sie in den Vorrundenwettkämpfen auf den achten Platz spekulierte, um gerade noch so in die Endrunde zu kommen und auf einer Außenbahn starten zu können. Was natürlich danebenging: Franz wurde Neunte und hätte im zweiten Finallauf starten müssen. Ohne Chance auf Gold. Wenn da nicht ihre Kollegin Dagmar Hase gewesen wäre, die mit dem Gefühl, hinter Franz zurückstecken zu müssen, schon bestens vertraut war, auf ihren vorher erkämpften Endrundenplatz verzichtete und Franz so zurück ins Finalistenfeld holte. Und ganz so, als kennten wir Franz aber schlecht, zog sie an allen vorbei, gewann und schwamm – mach mit, mach's nach, mach's besser – ganz nebenbei: Weltrekord!

Zugegeben, Franz war oft nicht gerade die Bescheidenste unter den deutschen Sportlern. Aber wir fanden, ihre Leistungen rechtfertigten so manche Kapriole, und mal ehrlich, in Rom, was wir natürlich nur aus dem Fernsehen kannten, wäre da jemand von uns auf die Idee gekommen, für Dagmar Hase zu sein und sie zu bemitleiden?

So brachte Franz uns bei zu siegen. Die zweite Lektion, die sie uns erteilte, sollte ein wenig später das Verlieren sein. Auch das haben wir von Franz gelernt. Es klingt heute naiv, aber in unserer Kindheit war alles anders: War man damals Sportler, dann trainierte man, ohne Interviews über seine Psyche zu geben, tagein, tagaus, man fuhr still nach Olympia, durfte danach, falls man gewonnen hatte, in Anzügen, die aussahen wie Trainingsanzüge und uns immer zu pink vorkamen, mit Erich Honecker, Hermann Axen, Willi Stoph oder Günter Mittag an einer langen Tafel zu Abend essen, ein bisschen mit Heinz Florian Oertel, Adi und Angelika Unterlauf plaudern und hatte anschließend bestenfalls noch einen Auftritt in *Sport Aktuell*. War man Katarina Witt, durfte man auch noch in den *Kessel Buntes*. Doch das war's. Schluss. Danach kannte man die ganze Republik, so wie die Republik einen kannte. Jeder hatte in unserem alten Land seine Aufgabe, und war man damals Sportler, dann immer nur so lange, wie man siegte. Für die Siege wurde man entlohnt, bevor die Niederlagen auffielen, trat man ab; in den Verdacht, ein Star zu sein, geriet man nie. Heute kommt mir dieses System irgendwie ökonomischer vor.

## 8. Go West!

Über unsere Zukunft

Als Helmut Kohl sich 1998 vorgenommen hatte, ein letztes Mal die Wahl zu gewinnen, sollte der Osten ihm dabei helfen. Schließlich konnte er sich noch gut daran erinnern, dass ihn seine Freunde zwischen Rostock und Suhl schon vier Jahre zuvor nicht im Stich gelassen und ihm zu der Amtszeit verholfen hatten, die alle Rekorde brach. *Weltklasse für Deutschland*, rief er ihnen auf den Straßen des Landes zu, während sein niedersächsischer Konkurrent den Passanten zu verstehen gab, er werde *nicht alles anders, aber vieles besser machen*. Sie waren überall. Wenn ich morgens zum Bäcker ging, hatte ich immer ein bisschen Angst, Gerhard Schröder könne unvermittelt hinter der Ladentheke auftauchen und mir mit einem riesigen Lächeln Brötchen verkaufen, sodass ich gezwungen wäre zurückzulächeln, während sich ein Dutzend Fernsehkameras in dem kleinen Verkaufsraum drängelten und zusähen. Auch befürchtete ich, der neu installierte Flaschenpfandautomat in meinem Supermarkt werde in den Wochen des Wahlkampfs außer

Betrieb gesetzt und durch die manuelle Einsatzkraft von Altkanzler Kohl ersetzt.

Die Kandidaten waren sich einfach für nichts zu schade. Ich erinnere mich noch genau an eine Diskussion im Fernsehen, die aus einem Magdeburger Studio übertragen wurde; im Publikum viele interessiert aussehende Kinder mit ihren Eltern. Ich hatte erst zugeschaltet, als ein kleiner, vielleicht zwölfjähriger Junge mit Basecape in einem nicht enden wollenden Redeschwall den Kanzler über alles aufklärte, was sich für ihn und seine Freunde in ihrer Heimatstadt verändert, vor allem aber verschlechtert habe. Das Freibad koste nun nicht mehr, wie vor dem Fall der Mauer, 35 Pfennig, das Kino sei im Vergleich zu früher fast unbezahlbar geworden, und viele Jugendeinrichtungen seien auch geschlossen worden. Zwar sagte der Junge nicht, er könne sich noch genau der Zeit entsinnen, als für heranwachsende Staatsbürger der DDR an jeder Ecke Pionierhäuser und Jugendklubhäuser standen; dennoch schien es, als trauere er den alten Verhältnissen nach. Ich fragte mich, ob der Junge Erich Honecker auf einem Foto erkannt hätte. Helmut Kohl schien es zunächst ähnlich zu gehen, denn er guckte unsicher und ein bisschen so, als überlegte er für seine Verhältnisse zu lang, was er dem jungen Menschen mit auf den Weg geben sollte, der ja bei der bevorstehenden Wahl seine Stimme zum Glück noch nicht abgeben durfte. Geduldig begann er von der Reisefreiheit zu erzählen, sprach über die Freiheit der Meinungsäußerung und über das neue Wahlsystem, in dem jeder sein Kreuz machen könne, wo er wolle. Doch als der Junge ihm erneut ins Wort fallen und seinen Klagemonolog wieder aufnehmen wollte, zischte Kohl vernehmlich zum Moderator hinüber, wie alt der Junge denn eigentlich gewesen sei, als die Mauer fiel.

Die Deutsche Demokratische Republik war einfach noch nicht verschwunden. Sie hatte mit dem Fall der Mauer nicht, wie viele glaubten, ihren Hut genommen, sie war nicht weggegangen und hatte die Menschen an den nächsten, schon vor der Tür Wartenden abgegeben. Sie hatte sich nur verwandelt und war von einer Idee zu einem Raum geworden, einem kontaminierten Raum, in den freiwillig nur der einen Fuß setzte, der mit den Verseuchungen Geld verdienen oder sie studieren wollte. Wir aber sind hier erwachsen geworden. Wir nennen diesen Raum, fast liebevoll, die Zone. Wir wissen, dass unsere Zone von einem Versuch übrig geblieben ist, den wir, ihre Kinder, fast nur aus Erzählungen kennen und der gescheitert sein soll. Es gibt hier heute nur noch sehr wenig, was so aussieht, wie es einst ausgesehen hat. Es gibt nichts, was so ist, wie es sein soll. Doch langsam fühlen wir uns darin wie zu Hause.

Die Soziologen haben sich, vermutlich aus diesem Grund, nicht viel mit unserer Generation beschäftigt. Entweder sie erforschen die Identität der letzten «echten» DDR-Generation – sie meinen die der sechziger Jahre –, oder sie besuchen unsere Nachfolger in den Schulen der fünf neuen Bundesländer, um die Erfahrungen von Vierzehnjährigen mit Gewalt, Drogen, Rechtsradikalismus und Arbeitslosigkeit zu erkunden. Hier, wie so oft, ist unsere Generation in einem ungeklärten Übergang, und es sieht so aus, als taugten unsere Jahrgänge zu eindeutigen Studienergebnissen nicht viel.

Die unserer Vorgänger schon. Die letzte «echte» DDR-Generation, sagen die Wissenschaftler, ist meilenweit von ihrer Partnergeneration im Westen entfernt, selbst wenn sie westliche Lebensstile kopiert und sich nach westlichen Mustern individualisiert hat. Herrschte im Westen der Achtziger eine außengelenkte, oberflächenverliebte Selbstinszenierung vor, mit der die jungen Menschen auf die selbstbezogene Innerlichkeit des vorangegangenen Jahrzehnts reagierten, so misstraute man im Osten Leuten, für die alles Ausdruck war. Zum einen existierte die Überfülle eines Warenmarktes, in den kaum noch Übersicht zu bringen war, gar nicht, zum anderen mied man einfach jede Form von Öffentlichkeit oder Teilnahme. Auch ich kann mich noch daran erinnern: wie sehr die Älteren «The Cure» und «Depeche Mode» liebten, wie sie sich die Haare mit Bier oder Zuckerwasser stylten. Doch was auf den ersten Blick wie Protest und Rebellion aussah, war in der Regel nicht viel mehr als eine zur Schau getragene Geste des Rückzuges, des Nichtmehrteilnehmenwollens und auch ein bisschen Langeweile. In ihren Cliquen mussten alle gleich sein und sich gleich fühlen. Innere Einheit war wichtiger als Anderssein nach außen. Wir Kleinen haben die Großen auf dem Schulhof vor allem während des Fahnenappells bewundert, wenn sie mit tiefer Stimme, lässig und betont desinteressiert «Freundschaft» riefen. Aufgeregt haben wir darüber – wie aus Befreiung – lachen müssen. Den Älteren selber aber galt jener kollektive Gruß als ein Maximum an Auftritt, als einzige Teilnahme am Öffentlichen, die ihnen möglich war, weil sie eigentlich, wie alle anderen, stets versuchten, ihr Privatleben vor dem öffentlichen geheim zu halten. Sie wollten ihre Ruhe haben, staatliche Einflüsse, meinten sie, gingen sie nichts an, sie duckten sich unter ihnen hinweg und entfalteten sich, sagen die Wissenschaftler, zwar im Verborgenen, doch eigentlich überwiegend konventionell.

Die achtziger Jahre machten sie zu so etwas wie eingeschränkten Individualisten, die sich – schließlich war die Cure-Party am Freitagabend eines der Highlights ihrer Jugend gewesen – an traditionellen Werten wie Familie, Beruf und Freundeskreis orientieren. Heute tragen die Männer, zu denen die Jugendlichen inzwischen geworden sind, helle Leinenanzüge und geflochtene Slipper, die Kleider der Frauen sehen immer ein bisschen nach «Frieden» aus, und so erscheinen uns die großen Brüder und Schwestern mitunter bieder. Nie könnten wir, wie sie, unsere freie Zeit darauf verwenden, ausladende Wochenendpicknicks zu organisieren, anlässlich von Geburtstagen Karaoke zu veranstalten und mit der alten Seminargruppe in den Skiurlaub zu fahren. Lernen sie einen Westdeutschen kennen, mögen sie ihn nur, wenn er nicht so schlimm wie die anderen ist und seine Individualität zaghaft, sozusagen unsichtbar und nur für wesensgleiche Menschen verständlich, artikuliert. Und wie nach dem Fahnenappell die ganze Sache für sie beendet war und Teilnahme an der DDR-Kultur in ihren Augen immer zum potenziellen Betrug und zur Persönlichkeitsspaltung führen musste, ist ihnen auch heute, da sie von jeher daran gewöhnt waren, alle Bereiche ihres Lebens zu «privaten» zu machen, eine nette Arbeitsatmosphäre wichtiger als berufliches Fortkommen.

Unsere Generation verbindet mit ihnen nicht viel mehr als die geographische Herkunft. Mit gleichaltrigen Westdeutschen fühlen wir uns wohler. Die letzte «echte» DDR-Generation beneidet uns um unsere Auslandsstudien, schüttelt den Kopf über unsere Aktivitäten, die für sie stets im Verdacht des Karrieristischen stehen, und unsere Klamotten findet sie originell. Während es für uns normal ist, sich in Westdeutsche zu verlieben, bleiben die Mitte Dreißigjährigen vornehmlich unter sich. Gelegentlich frage ich mich, ob sich diese Generation nicht manchmal einsam fühlt, und denke, dass sie vielleicht deshalb was immer sie unternehmen, in großen Gruppen tun. Wir dagegen, auch wenn wir nirgendwo ganz dazugehören, teilen mit fast allen ein bisschen, irgendein Lebenspartikelchen, was den unbestreitbaren und vielfach nützlichen Vorteil hat, dass man im ICE-Bistro mit vielen Leuten eine Zigarette rauchen kann.

Als die Mauer fiel, waren unsere Vorgänger so alt wie wir heute, und beim Nachrechnen ist man fast erstaunt, zu wie vielen Entscheidungen sie bereits in der DDR gezwungen waren: Sie schlossen in dem untergegangenen Land die zehnte Klasse ab und versuchten, einen Abiturplatz zu bekommen, sie ließen sich in Kaufhallen zur Verkäuferin ausbilden, in der LPG zum Melker oder im Trabantwerk bei Zwickau zum Automechaniker. Die Jungs gingen zur Fahne. Sie trampten mit dem Rucksack nach Polen oder in die Tschechoslowakei, kauften in der Jugendmodeabteilung oder im Exquisit ihre Klamotten. Sie verliebten sich. Manche traten in die Partei ein. Andere stellten Ausreiseanträge oder flohen über die Botschaften von Prag und Budapest. Um all das sind wir herumgekommen und haben an das Land unserer Kindheit nur, oder fast nur, private Erinnerungen. Pubertät und Volljährigkeit erlebten wir in jenem geografischen Raum, der danach kam. Wir sind weder in der DDR noch in der Bundesrepublik erwachsen geworden. Wir sind die Kinder der Zone, in der alles neu aufgebaut werden musste, kein Stein auf dem anderen blieb und kaum ein Ziel bereits erreicht worden ist.

Die Wende traf uns wie ins Mark. Wir waren gerade zwölf, dreizehn, vierzehn oder fünfzehn Jahre alt. Sie fuhr uns in die Knochen und machte, dass sich alles um uns drehte. Wir waren zu jung, um zu verstehen, was vor sich ging, und zu alt, um wegzusehen, und wurden unserer Kindheitswelt entrissen, bevor wir wussten, dass es so etwas überhaupt gab. Wenn unsere Eltern zehn Jahre später nur noch über wenige Gewissheiten verfügen, ihre Illusionen und Selbstbilder von der Wende weggefegt wurden und unsere Vorgänger wie eh und je privatisieren, gab es für uns damals nichts, worüber wir uns ernsthaft im Klaren waren. Eine ganze Generation entstand im Verschwinden.

Deshalb sind Veränderungen in unserem bisherigen Leben stets Abschiede, immer Brüche und nie Übergänge gewesen. Es bleibt die Hoffnung, dass sich das eines Tages ändern wird, selbst wenn uns bewusst ist, dass auch kein Westdeutscher, wenn er heute seinen Heimatort betritt, dort alles wie vor dreißig Jahren vorfindet. Unsere Kindheit aber war erst gestern. Da kann eine neue Fassade zum Symbol werden. Wäre es bloß ein Bäckerladen, der nun anders riecht, oder die Schule, die, neu gestrichen, nichts mehr mit dem Gebäude zu tun hat, in das wir einmal zum Unterricht gegangen sind, so würde uns das nicht stören. Das einzige Kontinuum unseres Lebens aber mussten wir selbst erschaffen: Das ist unsere Generation. Nur die Erfahrungen der letzten zehn Jahre und alle Freunde, die sie teilen, bilden unsere Familie.


Mein Gymnasium lag, wie schon erwähnt, am Rand eines großen Tagebauloches, das Leipzig im Süden beinahe vollständig umschloss. Dass man diese Hand voll prächtiger, frei stehender Bürgerhäuser, die einst der NVA gedient hatten und erst später eine Schule geworden waren, nicht zum Abriss verdammt hatte, grenzte an ein Wunder. Zwei breite Eingangstore verbanden das parkähnliche Areal mit einer Leipziger Vorstadt. In ihrer Größe, die einmal für hindurchfahrende Armeefahrzeuge konstruiert worden war, sah man heute nur noch großzügige und majestätische Erhabenheit.

Auf der anderen Seite des Geländes begann bereits die ehemalige Abraumgrube, und es gab eine Art wild zugewucherten Streifen, der uns von ihr trennen und gleichsam schützen sollte. Es war strengstens verboten, dort einen Fuß hineinzusetzen. Angeblich lag noch überall Munition der NVA herum. Zwischen zwei Unterrichtsstunden haben wir oft am Rand dieses Streifens gestanden und versucht, die silberne Oberfläche des Tagebausees, der nah und doch irgendwie in unerreichbarer Ferne lag, zumindest durch die Bäume und Sträucher hindurch zu sehen. Das schönste Gebäude auf dem Gelände aber war das Internat, in dem Schüler aus umliegenden Dörfern und Musikschüler aus der gesamten südlichen Ex-DDR, auch meine Freundin Jenny gehörte dazu, wohnten.

Zwei Jahre nach der Wende kamen wir hier zusammen und bildeten den ersten Jahrgang, der nach dem bundesrepublikanischen Kurssystem unterrichtet werden sollte. In Sachsen wie in Baden-Württemberg. Wir hatten schwere Aufnahmeprüfungen hinter uns gebracht, denn es herrschte nun, wie die Lehrer sagten, auch an unseren Schulen «das Gesetz der freien Marktwirtschaft». Das bedeutete für uns: Wenn schon alle aufs Gymnasium durften, dann würde eben das Leistungsprinzip die Spreu vom Weizen trennen.

Am ersten Schultag waren wir unschuldig. Wir wussten nicht, was all das bedeuten sollte, und ließen uns den Wind der neuen Eliten, die wir nun augenscheinlich werden mussten, gern um die Nase wehen. Westlehrer gab es noch nicht, und so inszenierte man für und im Glauben an uns ein starkes Aufbruchgefühl. Im Lauf des Jahres zeigte sich jedoch, dass unsere Lehrer es, verunsichert oder einfach unvertraut mit dem westdeutschen Punktesystem, nun kaum noch wagten, zu lachen, uns zu loben oder Höchstnoten zu vergeben. Wir wiederum wussten nicht mehr, was wir noch anstellen sollten, um ihren Anforderungen zu genügen. Größere Härte war nie; wir paukten, als ginge es ums nackte Überleben. Keine Woche verging ohne Erlasse und Neuregelungen, die den Druck weiter steigern und die Leistungsbereitschaft der ostdeutschen Gymnasiasten erhöhen sollte. Fuhren wir am Freitagnachmittag nach Hause, hatten wir keine Ahnung, ob wir die Zugangsberechtigung zum Gymnasium bis Montagmorgen nicht womöglich schon verloren hatten.

Im Jahr darauf vermutete irgendein Beamter im Schulministerium, wir seien alle ganz und gar zu Unrecht auf der höheren Schule, und beschloss, wir müssten uns noch einmal mit dem Endjahreszeugnis der zehnten Klasse fürs Gymnasium qualifizieren und dabei einen kosmischen Durchschnitt erreichen. Schülerdemonstrationen folgten. Und da nicht einmal die Leute in den Ministerien ihrer Vorgaben sicher waren, wurde die Verordnung zunächst aufrechterhalten, später revidiert, dann wieder eingesetzt und schließlich fallen gelassen. In Wahrheit hatten alle den Überblick verloren. Die Neuerer an der Spitze

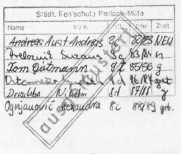

der Bewegung kamen uns auf einmal aufgeregt und dünnhäutig vor, schwerlich imstande, den Abstand zum Westen, von dem sie Jahrzehnte trennten, aufzuholen.

Geschenkt ist geschenkt, wiederholen ist gestohlen: Im Westen ausgemusterte Schulbücher gehörten nun uns.

Tatsächlich trennte sich die Spreu vom Weizen, doch anders als erwartet. Manche Schüler trabten weiter, andere stiegen aus. Am Unterricht nahmen wir teil, wenn wir Lust hatten. Waren wir morgens in der Schule angekommen, trafen wir uns in Jennys Internatszimmer, hörten dort Musik, rauchten, redeten übers «Leben» und verließen die Schule mit dem Klingelzeichen der letzten Stunde wieder. Zu Klausuren, deren Termine Wochen vorher feststanden, gingen wir nur, wenn wir am Tag zuvor Zeit und Lust hatten zu lernen; es gab ja schließlich Nachschreibtermine, auf die wir uns, von den Mitschülern über die Themen der Arbeiten bestens informiert, professionell vorbereiten konnten. Um Entschuldigungen – ich weiß kaum noch, wie wir das angestellt haben – waren wir nicht verlegen. Unsere Klausuren unterschrieben wir heimlich selbst. Es war uns zu mühsam, sie unseren Eltern zu zeigen. Da wir zu Hause auf Rebellion verzichteten, sollten unsere Lehrer die Gegner werden. Institutionen machen sich zu so etwas besser.

Und absurderweise begannen sie, die Autoritäten, die Institutionen, uns für unsere Verweigerungen zu schätzen, zu respektieren und sogar zu bewundern. Sie glaubten wahrscheinlich, so verhielten sich die durch Jugend legitimierten Vertreter der neuen Zeit nun einmal und wir würden sie, wenn sie Toleranz zeigten, auch noch an dieser teilhaben lassen.

Dieses stille Lob hat uns vollends den Kopf verdreht.

Wir fühlten uns wie Könige. Auf den Trümmern begründeten wir unseren Staat. Der Hofstaat waren unsere Freunde, und reihum durfte jeder einmal die Krone tragen. Mit allen Nachbarstaaten befanden wir uns in potenziellem Krieg, obwohl ernste Gefahr, angesichts unserer Überlegenheit, von ihnen nicht ausgehen konnte. Die Berater hatten wir entlassen. In unserem Leben schien uns alles möglich, denn wir waren die Einzigen, die im Zusammenbruch die Nerven behielten, die verstanden und keine Angst vor dem Neuen hatten.

Wir lungerten auf den Straßen herum, schlossen in Betonröhren Blutsbrüderschaften und spielten in verlassenen Werkshallen Theater. Wir besuchten ältere Freunde in besetzten Häusern, veranstalteten Lagerfeuer in den Hinterhöfen und brieten dort eingeschweißtes Fleisch aus der Kaufhalle auf einer Metallscheibe, die irgendwo herumgelegen hatte. Auf den Dächern schauten wir tieftraurig über die Stadt und waren uns sicher, unser Leben würde nie wieder so grenzenlos sein. Als dann der Erste von uns im Drogenrausch abstürzte, verlieh sein Tod uns erst recht das Gefühl von Auserwähltheit, nach dem wir ohnehin ständig auf der Suche waren. Wir zogen durch die Läden der Innenstädte, klauten Jeans, Fahrräder, Bücher und CDs. Alles war bandenmäßig organisiert: Einer ging in die Umkleidekabine, zog drei Hosen übereinander, kam stolz wieder heraus, wo die anderen, Schmiere stehend, bereits gewartet und den besten Abgang ersonnen hatten. Wir steckten uns ‹Liebesgedichte› von Erich Fried, den ‹Club der toten Dichter› oder ‹Die Welle› unter die Pullis. CDs von Keimzeit, Rio Reiser und Element of Crime befreiten wir aus ihrer Hülle. Sie kam uns paradiesisch vor, diese Zeit, und wir merkten gar nicht, dass wir eigentlich alte Rollen spielten, im Glauben oder in der Hoffnung, nur wir hätten sie verstanden. In der Schule mimten wir die egozentrischen Künstler, bedrängt von der neuen Zeit, zu Hause die hoffnungsvollen, strebsamen Kinder, die nicht auffielen und keinen Ärger verursachen wollten, denn unsere Eltern hatten mit sich zu tun. Und unter uns waren wir Könige, nur mit Mühe die Depressionen der Pubertät bekämpfend.

Doch jetzt sind wir über den Berg. Die ersten zehn Jahre in der Freiheit waren sehr ereignisreich. Viele Abschiede. Neue Bekannte. Die nächsten zehn werden ruhiger werden. Wir sind die ersten Wessis aus Ostdeutschland, und an Sprache, Verhalten und Aussehen ist unsere Herkunft nicht mehr zu erkennen. Unsere Anpassung verlief erfolgreich, und wir wünschten, wir könnten dies ebenfalls von unseren Eltern und Familien behaupten. Es erschreckt uns, bemerken wir, dass wir in unserer Heimat nur kurz zu Gast gewesen sind. Die paar Jahre vor dem Fall der Mauer, die wir dort gelebt haben, machen zurzeit noch die Hälfte unseres Lebens aus. Von nun an werden sie jedoch zahlenmäßig in die Minderheit geraten und die DDR für uns, als schauten wir in den Rückspiegel eines Autos, noch ferner, kleiner und immer märchenhafter werden.

Die Hand am Steuer des eigenen Wagens, heißt es daher, Abschied von unserem Heimatland zu nehmen. Wir sind erwachsen geworden, und auf dem Armaturenbrett klebt kein Aufkleber «Die DDR ist tot, es lebe die DDR» mehr. Stattdessen habe ich kürzlich unter dem Beifahrersitz ein altes Tape von Jonathan wiedergefunden. Zu Beginn unserer Freundschaft in Leipzig hatte er es mir mit einem Augenzwinkern in die Hand gedrückt und gemeint, hier würde ich viel lernen. Ich habe die Kassette damals nicht oft gehört und obendrein nie verstanden, was er mit dem Versprechen der Pet Shop Boys «Go West, Life is peaceful there» sagen wollte. Das Lied über die «West End Girls» und «East End Boys» mochte ich viel lieber.

Seit kurzem jedoch läuft sie unaufhörlich, wenn ich in Berlin unterwegs bin. Ich muss lachen, singen mir die beiden Engländer «we will fly so high, tell all our friends goodbye, we will start life new» ins Ohr, und wundere mich: Was es wohl daran einst nicht zu verstehen gab? Mein Kofferraum ist aufgeräumt, die Rückbank leer und auch meine Mutter froh, weil ich endlich Ordnung im Auto halte. Besonders der volle Aschenbecher hatte ihr so sehr missfallen, dass sie oft nicht einsteigen wollte und verlangte, ich solle erst einmal alle Reste entsorgen. Doch wie Jenny liebe ich es nun mal, bei offenem Seitenfenster, die Armbeuge im Freien, eine Zigarette zu rauchen, auch wenn mein Auto keine Automatik hat. Und kein Hamburger Kennzeichen.

Eigentlich aber bin ich gerade auf dem Weg zu Jan, auf die andere Seite der Spree. Die Straßenbahn fährt leider nicht zu ihm, sondern bricht ihre Fahrt schon auf der Warschauer Brücke ab, genau dort, wo das Schienennetz von Ostberlin abrupt endet. Es ist Frühling geworden. Der Abend ist lau, selbst hier in der Stadt riecht man die Baumblüten. Unter freiem Himmel ein Fußballspiel oder ein Feuerwerk anzugucken, das wäre jetzt das Richtige, und so habe ich keine Tasche mitgenommen, in der Jeans aber alle meine Sachen verteilt, Hausschlüssel, Zigaretten, Feuerzeug, ein paar Euro, einen Hühnergott.

# Glossar

**BMA**  Schaffte man es nicht auf die Erweiterte Polytechnische Oberschule, bekam man die Möglichkeit einer Berufsausbildung mit Abitur. BMA. Und wurde Zerspanungsfacharbeiter, Glastechniker oder Chemielaborant. Mit Abitur.

**BMX-Bande**  Dieser australische Film mit Nicole Kidman hat die zweite Hälfte der achtziger Jahre erträglicher gemacht. Jeder von uns hat ihn oft gesehen, und ich erinnere mich, wie das ganze Kino jauchzte, wenn man während einer Luftaufnahme unzählige Swimmingpools sah.

**Engerlinge**  Heute Erdnussflips, gab es nur im Delikat, und wenn sie nicht kontingentiert waren, kaufte man zehn oder mehr Tüten. Sonst musste jedes Familienmitglied nacheinander in die Kaufhalle gehen.

**ESP**  Die Einführung in die sozialistische Produktion fand in der B-Woche statt. Es war langweilig, aber unter der Bank konnte man wenigstens lesen, man musste kein Haarnetz tragen und wurde nicht mit Bohrmilch bespritzt. Siehe auch PA.

**FDGB** Im Freien Deutschen Gewerkschaftsbund, der Massenorganisation aller Werktätigen, muss es wirklich unkollegial zugegangen sein.

**FDJ** Freie Deutsche Jugend

**Fluortabletten** Die winzigen hellblauen Tabletten bekamen wir in den unteren Klassen jeden Morgen mit der Milch verteilt. Für bessere Zähne, hieß es. Zum Glück saß ich in der Fensterreihe und konnte die eklige Tablette unbemerkt unter die Heizung schmeißen. Der Klassenzimmerdienst fand sie beim Auskehren kiloweise wieder.

**Freundschaft!** FDJler grüßten mit: «Freundschaft!» Die Pioniere antworteten auf «Seid bereit» mit «Immer bereit» und stellten die Hand senkrecht auf den Scheitel. Es war sehr wichtig, die fünf Finger immer geschlossen zu halten, das bedeutete die Einheit von irgendetwas.

**Friedensfahrt** Unser wichtigstes sportliches Ereignis im Jahr.

**FRÖSI** Fröhlich sein und singen.

**Geheimbotschaften mit Milch geschrieben** Durch diese Schreibmethode hielt Lenin Kontakt mit den Genossen außerhalb des Gefängnisses. Die Wärter konnten sich über die leeren Blätter nur wundern, während seine Kameraden sie übers Feuer hielten und danach die bräunlichen Worte Lenins entziffern konnten. Wir haben diese Geschichte geliebt wie keine andere, auch wenn sie uns sehr oft erzählt wurde.

**Germina** So hieß der Sportartikelhersteller der DDR. Es gab nur diesen.

**Gruppenrat** In jeder Klasse gab es einen Gruppenrat. Er bestand aus Vorsitzendem, Stellvertreter, Kassierer, Wandzeitungsredakteur/Agitator und Schriftführer. Der Gruppenratsvorsitzende vertrat die Klasse im Freundschaftsrat. Eine Schule war eine Freundschaft.

**Jägerschnitzel** Jägerschnitzel bestanden aus einer panierten fingerdicken Scheibe Bierschinken. In der Schülergaststätte fand ich das eklig, zu Hause großartig. Nach dem Fall der Mauer habe ich nie wieder ein Jägerschnitzel gesehen.

**Leninschweiß** Rote Limonade ohne Geschmack. Ausgesprochen billig. Wir Kinder mochten die gern, während unsere Eltern fanden, da sei zu viel Zucker drin.

**LPG** Landwirtschaftliche Produktionsgenossenschaft

**Marx, Jenny** Tochter von Karl Marx, die, obwohl sie nicht mehr lebte, ähnlich prominent wie Irma Gabler-Thälmann war.

**Milch** Täglich bekam meine Mutti vom Staat eine Flasche Milch kostenlos, weil sie in einem Chemiebetrieb arbeitete. Man wollte, glaube ich, ihre Gesundheit verbessern. Sie aber brachte mir die

Milch mit nach Hause, und ich liebte es, meinen Strohhalm durch den Aluminiumdeckel zu stoßen, sodass es pflockte.

**Neulehrer** Neulehrer wurden nach dem Zweiten Weltkrieg in vielen Schulen der SBZ eingesetzt. Sie waren keine ausgebildeten Pädagogen, sondern brachten sich, wie meine Geschichtslehrerin, den Lehrstoff kurz vor dem Unterricht selbst bei.

**Oertel, Heinz-Florian** Ein legendär zu nennender Sportkommentator. Leider verschwunden.

**PA** Zur Praktischen Arbeit mussten wir in der A-Woche einen Schultag in die Produktion, meist in die Konsumgüterabteilungen. Wir haben es so unglaublich gehasst.

**Pionierrepublik** Vorbildliche Schüler wurden sechs Wochen in die Pionierrepublik delegiert. Ich habe sie stets beneidet. Doch als ich hörte, dass man dort jeden Abend die *Aktuelle Kamera* sehen und im Anschluss diskutieren musste, war ich nicht mehr sicher, ob ich wirklich dorthin fahren wollte.

**Reihenuntersuchung** Die Reihenuntersuchung fand in der ersten, dritten, sechsten und neunten Klasse statt. Die Jungs wurden für die Armee getestet. Das Schlimmste für die Mädchen war das Wiegen.

**Rollfix, der** Ein Handwagen, den es nur mit Mühe zu erstehen gab. Es gab auch Klappfix, Moccafix, Trinkfix …

**Spartakiade** Einfacher: Sportfest

**Tereschkowa, Walentina**  Sie war die erste Frau im
Weltraum und unser Vorbild.

**Thälmann, Ernst**  Für uns hieß er nur Teddy.

**Unterlauf, Angelika**  Sie war die Grande Dame der
*Aktuellen Kamera*, sachlich, diskret und sehr schön.
Ein bisschen wie Dagmar Berghoff.

**Wandzeitung**  Das Informationsorgan jeder Schul-
klasse. Schlechte Redakteure erkannte man auf
einen Blick an veralteten Aufmachern.

## Bildnachweis

**Seite 30:** Privataufnahme Michael Rücker

**Seite 52:** Privataufnahme Karsten Heller

**Seite 119:** Illustration von I. Blauschmidt und I. Arnold aus: H. Brückner: «Denkst du schon an Liebe?», Der Kinderbuchverlag Berlin-DDR, 1976, S. 70

**Seite 121:** Abbildung aus: «FKK zwischen Ostsee und Vogtland», VEB Tourist Verlag Berlin, Leipzig, 1987, S. 83

## Dank

Ich danke Jörg Bong und Oliver Vogel für die Autofahrt; Bettina von Bülow; Judith Dannhauer für den Wurf; Alexander Fest; Julia Franck für das «wir»; Thomas Hettche für den Westen; Nils Kahlefendt, weil die Revolution noch nicht zu Ende ist; Angelika Klüssendorf für den Osten; Jo Lendle für die Zugfahrt; Rainer Merkel, dem Agenten und Sportler; Uwe Müller fürs Archiv; Susanne Münzner und Karsten Heller für ihren Blick; Alexander Nedo für den Mantel im Bad; Kito Nedo für den Sinn unseres Lebens; Heinrich Völkel für das Trauma; Sebastian Weber für Sanssouci.
Und R. K. für alles.

Foto: Carsten Minkwitz

**Ein Buch verändert Deutschland.**
**Eine Generation findet sich selbst.**

**Tom Kraushaar (Hg.)**
**Die Zonenkinder und Wir**

Jana Hensels Buch «Zonenkinder»: Ist es die Wiederentdeckung einer vergessenen Jugend und eines verlorenen Landes? Oder ist es ein Dokument skrupelloser West-Anpassung? Verklärender Ostalgie gar?

«Die Zonenkinder und Wir» erzählt die Geschichte eines großen Bucherfolges und einer hitzigen Kontroverse. Kritiker, Leser und die Autorin selbst äußern sich zum Phänomen «Zonenkinder» und zu einer neuen Generation zwischen Ost und West.

«Das Buch schafft etwas, was zum Überwinden eines großen Missverständnisses der deutschen Einheit beitragen könnte.» (Angela Merkel über «Zonenkinder»)

3-499-23672-9